LA BELLE AMOUR HUMAINE

ISBN 978-2-330-01871-9

LYONEL TROUILLOT

LA BELLE AMOUR HUMAINE

roman

BABEL

Pour Sabine, Anne-Gaëlle,
pour Anaïs à qui je dois la fin.

A la mémoire de Jacques Stephen Alexis, le maître.

Mais en vérité je l'attends
Avec mon cœur avec mon âme
Et sur le pont des Reviens-t'en
Si jamais revient cette femme
je lui dirai Je suis content

GUILLAUME APOLLINAIRE

Voilà dix ans que j'attends ma première
nuit d'amour, la nuit qui me réveillera
et m'amènera au jour...

JACQUES STEPHEN ALEXIS

“La belle amour humaine” est le titre d’un message de vœux que Jacques Stephen Alexis a publié en janvier 1957 dans *Les Lettres françaises*. *(N.d.A.)*

ANAÏSE

La mer avait été plus généreuse que d'ordinaire, et les pêcheurs avaient fait dans la journée une telle provision de sardes et de langoustes que, le soir venu, de retour au village, après avoir rangé leurs barques et rassuré leurs compagnes, ils consacrèrent leur temps à des chansons de mer, et, le regard levé vers les constellations, ils ne virent pas brûler les flammes de l'incendie. De mémoire de villageois, jamais ils ne vécurent meilleur matin ni meilleure nuit, et, n'était le souvenir charnel des mets et des baisers, ils pourraient croire avoir rêvé. Voilà ce que les hommes te diront. Les femmes ajouteront pour leur part qu'il ventait ce soir-là un air de parfum frais, mélange de petit baume, de jasmin et d'ilang-ilang. Heureuses, elles redevinrent petites filles et s'endormirent fenêtres ouvertes en rêvant de beaux capitaines. De mémoire de femmes de marins, jamais elles ne voyagèrent aussi loin, ne touchèrent plus beaux paysages, ne partagèrent plus tendres étreintes et ne firent plus belles rencontres. Nulle odeur de brûlé ne vint troubler leurs songes. Voilà ce qu'elles te diront. S'il faut aller dans le détail de ce que firent ceux qui ne sont ni marins ni femmes de marins, ni réductibles à cette première fonction, le métier de marin n'interdisant point d'être par ailleurs tambourineur, joueur de dés ou philosophe, tu apprendras que Justin, le législateur bénévole et autodidacte, avait travaillé jusqu'à l'aurore sur son code des nouvelles lois usuelles au service du bonheur, au chapitre essentiel portant sur l'union libre, le don, la réciprocité et autres vertus quotidiennes. Tout excité et fier de ses propositions, il avait installé sa chaise devant la mer pour attendre le lever du jour en buvant du thé de corossol, et ne fut témoin que d'une chose : le feu doux du soleil levant. Le peintre Frantz Jacob, son neveu et Solène, la jeune fille à la beauté sauvage, avaient passé une partie de la nuit à parler de peinture, des forces et des faiblesses des lignes et des couleurs, de leur pouvoir et de leur impuissance à rendre les choses à la fois telles qu'elles sont et telles qu'elles ne sont pas, et, passant de l'art à la vie, la conversation porta sur l'arrogance de celui ou de celle prétendant pouvoir établir en toutes circonstances la différence entre l'action et la pensée, le rêve et la réalité, le mensonge et la vérité. Les oiseaux de nuit avaient beaucoup chanté, improvisant à l'occasion, ajoutant ainsi leur quote-part à la conversation. S'il faut revenir au général, tenter de décrire l'atmosphère et donner une vision d'ensemble, tu sauras que l'eau était calme, les esprits apaisés, aucun signe d'agitation, ni migraine ni rage de dents, n'était venu troubler le sommeil des enfants, qui laissèrent leurs mères à leurs rêves et attendirent le matin pour formuler leurs demandes de tendresse et de lait. Malgré la pauvreté et l'isolement, la ville côtière d'Anse-à-Fôleur avait vécu un jour et une nuit au plus près de la perfection, et nul ne pouvait apporter le moindre renseignement sur les causes et les circonstances de l'incendie. Le lendemain du drame, si drame il y eut, à huit heures, après avoir bu le café préparé par sa compagne et embrassé sa chérie en signe de remerciement, un rituel invariable en vingt ans de concubinage, le chef de section, l'unique représentant de la force publique dans le village, constata en effectuant sa ronde que l'emplacement des maisons était vide, mis à part deux petits tas de cendres identiques, et que le colonel et l'homme d'affaires ne s'adonnaient pas à leur habituelle marche triomphale sur la plage. Sans consulter sa concubine – elle n'eût pas manqué de lui déconseiller d'entreprendre une démarche ne présentant nul intérêt pour la communauté, et de le mettre en garde contre tout appel à des forces extérieures pour résoudre un problème local –, il s'en alla alors à vélo au village voisin, attendit une heure pour avoir une ligne avec la capitale et avisa les autorités.

Voilà ce qu'ils te diront, s'il leur vient l'envie de parler. Là-bas, à vivre de mer et d'arc-en-ciel, les couleurs souvent leur suffisent. Ils savent rester des journées entières à arpenter leur bord de mer sans mettre des mots sur leurs pensées. Ce n'est pas comme ici où la vie a peur du silence. Ici, si au réveil on ne s'est pas préparé à partir au combat, on n'a pas la vie devant soi. Le pain, ça se chasse comme le gibier, et vu qu'il n'y en a pas pour tout le monde, le bruit a remplacé l'espoir. Ce que tu as vu à l'aéroport, vingt porteurs pour une seule valise qui baragouinent dans toutes les langues, c'est rien. Attends de voir le centre-ville. Il nous faudra le traverser, patauger dans le bruit jusqu'à la gare du Nord. Les étrangers souvent y perdent leurs oreilles, à entendre malgré eux, égaux en droits dans le vacarme, les choses, les bêtes et les humains. Les casseroles. Les pots d'échappement. Les crieurs qui marchandent tout, des élixirs aux antibiotiques en passant par les crèmes éclaircissantes et les pilules qui font grossir. Les fonctionnaires de la mairie qui chassent les marchandes de céréales, de fruits et de légumes installées sur la chaussée. Les porte-voix des volontaires de la santé publique qui vantent les vertus du lait maternel et du lavage des mains. Nul ne peut écouter tant de bruits en même temps, qui s'opposent, se contredisent, te crèvent les tympans pour fourrer dans ta tête l'illusion du mouvement. Les queues devant le bureau de l'Immigration et le ministère des Affaires sociales, les menaces des agents de sécurité et les réactions de la foule, va te faire voir, cela fait des semaines qu'on attend. Les taxis-motos qui se faufilent entre les voitures. Les cambistes qui te vendent de la fausse monnaie au taux du jour et mettent leurs billets devant la gueule du passant pour attirer la clientèle. Les agents de la circulation qui font causette avec leurs maîtresses au milieu de la rue. Les piétons qui se rentrent dedans et s'engueulent à qui la faute. Au centre-ville, le bruit c'est comme la pauvreté, on n'en a jamais fait le tour. La pauvreté, chaque fois qu'on croit la circonscrire dans des quartiers créés pour elle, elle déborde et se lève ailleurs. Le bruit, ici, c'est pareil. Pas moyen de dresser une liste. Les camions-citernes qui râlent et dégoulinent en grimpant les collines. Les grands enfants. Les petits enfants. Les encore enfants qui font des enfants. Les balles perdues. Les fous de Dieu, les annonceurs de fin du monde qui te reprochent de n'avoir pas accepté Jésus pour ton sauveur personnel. Les sirènes des cortèges officiels. Les postes de radio des commerces de trottoir qui crachent en boucle les actualités du malheur et les numéros gagnants à la loterie. La foule qui crie au voleur. Le voleur qui se mêle à la foule et crie plus fort que les autres. Les combats de chiens, les petits d'un côté, les gros de l'autre, comme chez les humains, les petits qui s'enfuient en pleurant leur défaite avant de revenir à la charge pour se faire battre une nouvelle fois par les gros. L'assistance composée de chômeurs et de porte-faix qui en ont marre de revoir le même spectacle, même si c'est gratuit, et s'arment de bâtons pour disperser la meute. Et, comme la vie, les bruits ont des humeurs. En prêtant attention, tu pourras distinguer les bruits de la colère de ceux de l'attente et de la fatigue. Ici, les bruits sont la seule preuve de ce dur devoir d'exister et ne chôment jamais. Quand on a perdu tout le reste, reste plus que du temps à perdre. Ecoute les bruits du temps perdu. Les chaussures dessemelées qui raclent les pavés. Les cohortes. Les manifs. Les veuves qui défilent au Champ-de-Mars en demandant justice pour des époux assassinés qui ne leur servaient pas à grand-chose de leur vivant mais qu'une mort tragique a rendus sympathiques ; l'association des victimes de l'arnaque aux bons du Trésor qui espèrent en vain le remboursement de leurs investissements ; les journaliers de la voirie qui réclament des mois d'arriérés en marchant dans les détritus. Les commentateurs des matches de foot qui font de la pub pour les importateurs de riz et de mantègue et aboient même dans les temps morts. Le rap. Le compas. Les décibels à folle allure des véhicules de transport public. Le grésillement des torches des soudeurs de fer forgé branchées sur des prises clandestines. Les agents de la compagnie d'électricité qui débranchent les câbles. Les attroupements autour des épileptiques tombés raides sous la galerie des magasins. Même la mort et la nostalgie participent au concert… Ecoute. Tous ces bruits de la vie qui se moque de la vie. Ce qu'elle fut et ce qu'il en reste… Les "c'était hier" des vieux messieurs qui traversent la rue les yeux perdus dans les paradis de la mémoire et se font engueuler par les automobilistes. Les fans du Vieux Tigre (le Violette) et les fans du Vieux Lion (le Racing) qui devisent sur le temps d'antan parce que, aujourd'hui, malgré leurs noms pompeux d'animaux de la jungle, Vieux Lion, mon cul, Vieux Tigre, mon œil, ce ne sont plus que des peaux de chagrin.

Les pas tristes et les souliers blancs de poussière des parents pauvres qui suivent le corbillard poussif des cortèges funéraires. Une femme nue qui pleure et raconte aux passants, priez pour moi monsieur, comprenez-moi madame, la chronique d'un fol amour. Les bandes à pied qui n'attendent pas les trois jours gras pour donner de la musique. Les écoliers renvoyés des écoles privées pour cause de non-paiement qui traînent dans les rues et inventent de nouveaux sobriquets aux fous. Les fous qui se retournent et poursuivent les écoliers à coups de pierres et de jurons. Les…

… C'est bon, j'arrête. Je pourrais continuer longtemps mais tu risques de t'ennuyer. Il faut néanmoins que tu saches deux choses. La première : capitale pour capitale, côté richesse et monuments, à en juger par les images, c'est vrai, nous ne valons pas la concurrence. Les touristes comme toi qui viennent des belles villes, quand ils me demandent de m'arrêter aux abords d'une place le temps pour eux de fixer un objectif et de prendre une photo, debout au pied d'un monument ils le regardent quand même de haut. Un client expert en confidences et en jugements de valeur, un homme d'affaires avec une panse allant tout droit vers l'infarctus, le teint rose d'avoir fait immersion dans le rhum toute la durée de son séjour, m'a sorti cette phrase, sur le ton sentencieux d'un sage parmi les sages, comme s'il m'ouvrait la plus belle page du livre des révélations : "C'est le pays des hyperboles. Vous utilisez ici de bien grands mots pour de toutes petites choses : basilique, avenue, palace…" J'ai dû chercher pour trouver le sens d'"hyperbole". La littérature, ce n'est pas mon fort. Je m'entends mieux avec les images. Mais non, monsieur, on a les basiliques, les avenues et les palaces qu'on peut. L'hyperbole, dans le cœur des humains, quand ils parlent de chez eux, c'est comme une plante naturelle. La preuve, les nôtres, ceux qui sont partis vers chez toi, quand ils nous reviennent, il n'y a pas que du beau dans ce qu'ils nous racontent. Comme quoi, ils n'ont pas vu que des merveilles. Et où est-il écrit que les mots savent nommer les choses à leur juste mesure ! Dans la ville d'où tu viens, je suis certain qu'ils exagèrent pas mal. On fait tous de la surenchère. Quel que soit le pays, il y a toujours un écart entre le jour de la fête nationale et le reste de l'année, entre les discours officiels et le parler tremblé de la vie quotidienne, entre les cartes postales et les vies de chien du commun des mortels. Ne viens pas me raconter que chez toi tout est beau. Que tous y sont heureux. D'ailleurs tu l'écris dans ta lettre. C'est moi qui l'ai lue à mon oncle. C'est moi, ses yeux. *"Je ne sais pas vers quoi je viens. Je ne sais pas non plus ce que je possède. Dans cette ville où tout est loin d'être rose pour ceux qui y résident, j'ai souvent le sentiment d'être perdue ou incomplète."* Tous les lieux habités sont faits de manques et de trop-pleins. Ici, avec nos nids-de-poule et nos bâtiments délabrés, nous ne pouvons pas prétendre aux trésors des vieilles villes ni t'inviter à une balade sur la plus belle avenue du monde. Mais, pour le bruit, je te donne mon salaire de guide que nous gagnons la coupe du monde. Ici, dans cette ville défigurée, ça coince tellement qu'il y a peu de place pour le silence et peu d'amour pour le mystère. Ici, faute de mieux on se soûle de vacarme. Et puis, quand vient la fin, comme un vieux chien malade qui en a marre de faire l'inutile tour des choses, on se couche et on meurt d'une overdose de bruit.

L'autre chose qu'il faut que tu saches : il y a sept heures de route entre le bruit et le silence. Entre ici et Anse-à-Fôleur. J'imagine que chez toi aussi les villes se suivent et ne se ressemblent pas. Il est des villes qui aboient et d'autres qui chuchotent. Il est des villes qui sourient et d'autres qui font la gueule. Des qui se peinturlurent comme une fille condamnée à faire le trottoir se déguise chaque soir pour partir au combat. Et d'autres qui ne montrent rien, ne vendent rien, ne font pas dans le *show off* ni dans la devanture, mais sourient sans forcer quand passe un visiteur. Ma ville sur mer, elle est comme ça. Ma vraie ville, c'est ici. J'y suis né et je connais ses bruits par cœur. Ses recoins. Ses désastres. Mais là-bas, c'est ma ville aussi. Enfin, mon village. J'y ai planté mes rêves. Et la terre qui t'appartient, c'est celle où tu plantes tes rêves. Celle que tu aimerais léguer à tes enfants. Lorsque nous arriverons là-bas tu pourras faire la différence. Ici, il y a ici et là-bas. Ici, c'est ville ouverte, scandale à profusion. Chaque jour il arrive par la route assez de familles nombreuses pour peupler une autre ville. Là-bas, dans le lieudit d'Anse-à-Fôleur où tu souhaites que je te conduise, c'est peu de monde, quelques copains, une poignée de vivants qui s'appellent par leurs prénoms et ne cultivent pas le vacarme. Les enfants y ramassent encore des coquillages, les portent à leurs oreilles, et la mer leur y chante quelque chanson secrète, sans déranger les autres. Les adultes n'élèvent pas la voix pour un oui, pour un non. Ils se fâchent rarement, et quand ça leur arrive, les enfants sourient dans leur dos, sachant que c'est un jeu de rôle, un faux orage, qui passera vite. Même les bêtes ne crient que chacune à son tour, quand besoin est, d'herbe ou de soin. Là-bas, les gens, ils braient pas comme ici. Quand ils optent pour le silence, même le rire leur passe par les yeux. Et lorsqu'ils parlent, y a encore du silence caché derrière leurs mots. Quand tu arriveras avec tes questions, ils te feront en guise de réponse des phrases enroulées comme des vagues dont le sens t'échappera si tu fais ta paresseuse ou ta fille de la raison pure et les interprètes à la lettre. S'ils te sortent des lapalissades comme quoi les dés ont six faces et que la nuit est parfois plus longue que le jour, ne va pas croire qu'ils sont débiles et te parlent pour ne rien dire, c'est un conseil d'ami qui t'invite à voir en toute chose l'avers et le revers. S'ils te demandent à quoi cela sert de découvrir l'astuce par laquelle le lait qui n'a pas de jambes s'arrange pour grimper jusqu'au cœur de la noix de coco, c'est qu'ils souhaitent que tu comprennes que peu de choses méritent qu'on en saisisse les origines, les pourquoi et les conséquences. Qu'il est des faits sans importance qui ne valent pas le bavardage, et d'autres dont les causes sont d'une telle profondeur qu'elles échappent à toute analyse, et qu'il convient pour être heureux de les laisser à leur mystère. "Laissez les choses à leur mystère." Voilà ce qu'ils te répondront. C'est ce que mon oncle a dit à l'enquêteur venu de la capitale "s'informer des origines de l'incendie ayant détruit les maisons sœurs de l'homme d'affaires Robert Montès et du colonel à la retraite Pierre André Pierre et causé la mort des deux illustres citoyens à une heure indéterminée entre le soir et l'aube dans le lieudit d'Anse-à-Fôleur". Mon oncle, lui-même, comme les gens du village, appartient au mystère. Pourtant il n'est pas né là-bas. Pendant longtemps, il a vécu ici, enfermé dans son atelier, en plein cœur du vacarme, et gagné son pain à peindre des visages sur commande, se construisant au fil des ans une belle réputation de portraitiste. Ministres, dames du monde, notables, militaires, vieux mariés, jeunes mariés... il a mis sur ses toiles tous les visages solvables, indépendamment de la profession, de l'âge, du sexe, de la couleur. Le visage humain est, dit-il, la plus petite unité de la beauté et de la laideur des espèces vivantes, le plus petit territoire sur lequel s'affrontent la bonté et la cruauté, la bêtise et l'intelligence. Lorsque les médecins l'ont informé que nul traitement ne pouvait le guérir de la cécité annoncée, il a gardé le secret sur sa maladie et décidé de se retirer dans une petite ville, de préférence au bord de la mer. Etrangement, du temps où il voyait, la mer ne l'attirait pas. Mais depuis qu'il habite l'ombre, sa maison sur la côte, c'est un peu comme sa barque. Il prétend qu'il suffit de quelques pas, de quelques brasses, d'un geste, pour lier sa vie à celle de l'eau. Que, surtout quand on n'y est pas né, on a l'impression qu'un village côtier, c'est une porte, que ce qu'il y a derrière, les terres intérieures, est moins grand, moins présent que ce qu'il y a devant : toute la largeur de l'océan. Chaque matin il se lève de son lit avec l'aide de Solène, elle lui ouvre la fenêtre et il s'installe dans son fauteuil pour regarder la mer. C'est là, devant sa fenêtre, aveugle et voyant, qu'il a reçu il y a vingt ans l'enquêteur venu de la capitale qui le dévisageait sans comprendre. "Laissez les choses à leur mystère. Maintenant que je ne vois plus, je ne trouve pas meilleur usage de ma présence au monde que de regarder par la fenêtre. Oui, deux hommes sont morts, deux maisons ont brûlé. Mais est-ce là le plus important ! Un jour, vous aussi vous mourrez. Quand viendra l'heure, posez-vous la question qui compte : «Ai-je fait un bel usage de ma présence au monde ?» Si la réponse est non, ce sera trop tard, pour vous plaindre comme pour changer. Alors, n'attendez pas. Les circonstances de la mort n'offrent pas de clé pour comprendre. La mort demeure pour le vivant la plus banale des occurrences, la seule qui soit inévitable. La mort ne nous appartient pas, puisqu'elle nous précède. Mais la vie..."

Je parle trop. Alors, toi, parle-moi. Je veux bien t'écouter. A cause de ton père. Et aussi, parce que mon oncle, il m'a appris qu'on doit à l'autre un temps d'écoute. Raconte-moi ta ville à toi. Ça m'aidera. Je pourrai enrichir mes villes imaginées. Dans une ville inventée j'accompagne les touristes en tram dans le quartier des artistes. Ils achètent des pièces à mes amis, les sculpteurs de la Grand-Rue qui font de la récupération et te découpent un couple d'oiseaux migrateurs dans une feuille de tôle, ou te fabriquent une déesse avec des cannettes et toutes sortes de rebuts. La visite finie, nous longeons le bord de mer et nous nous arrêtons le temps d'un café ou d'une glace dans un bar de la marina. Qui sait ? Un jour, peut-être en existera-t-il de semblables dans la vraie vie. Ici même. Des trams. Une marina. Et des bars où les gens s'assiéront pour discuter. Tu veux rencontrer mes amis de la Grand-Rue ? Il n'est pas nécessaire que tu leur achètes une pièce. Ils apprécient la compagnie. Une voix qui leur parle une langue étrangère, ça fait chic, et même quand le prestige ne nourrit pas son homme, ça réconforte de croire que l'on vaut une visite. Et puis, tu es jolie. Quand tu seras partie, ils garderont un peu de ta beauté et boiront au goulot un alcool moins triste en devisant sur le sort, l'art, la vie, l'avenir. Ici, il y a de jolies filles aussi. Mais à force de ruser ensemble avec la misère, à force de faire la paire avec une fille pour que ni l'un ni l'autre ne finissent dans la rue, le désir vieillit vite, le charme aussi, et on oublie de voir la beauté qui est tout près. Mais tu ne veux pas visiter mes amis de la Grand-Rue. Ni deviser sur la beauté des autochtones. Ni me parler des trams et des berges de la ville d'où tu viens. Tu t'en fous, des artistes et des ferronniers. Tu as juste besoin d'un guide pour te conduire là-bas, dans ce lieudit d'Anse-à-Fôleur où ton grand-père et son ami le colonel sont allés s'installer, boire des coups le soir, revivre leurs prouesses, et mourir. Tu viens chercher la vérité. Sur quoi ? Sur qui ? Eux, toi, nous, ton père ? Le sable ? La mer ? Ce qui meurt et ce qui demeure ? Ce qu'il faut laisser à l'oubli ? Ou ce que, patiemment, l'on doit reconstituer pour donner un sens à ses pas ? Et qu'est-ce que la vérité ? Remarque. Moi, je n'y perds rien. Tu veux aller là-bas. Je te conduis là-bas. Comme disait le vieux coiffeur de la rue Montalais, l'ouvrier travaille à la demande du maître. Un sacré farceur, Manigat, le coiffeur de la rue Montalais. Ses coupes étaient numérotées de zéro à quatre. Quel numéro ? J'avais dix ans et ma mère pas beaucoup d'argent. J'ai choisi zéro, pensant que les nombres se rapportaient au prix et qu'une coupe à zéro coûterait quatre fois moins cher. Il m'a rasé le crâne. Quand je suis revenu à la maison, ma mère m'a foutu une raclée. Puis elle est partie chercher mon oncle dans son atelier, exigeant qu'il l'accompagne au salon du coiffeur qui allait en entendre. Elle a demandé à Manigat ce qui l'avait poussé à faire à un gamin de dix ans ne souffrant pas de la pelade une tête de condamné. Il lui a répondu en souriant : Madame, l'ouvrier travaille à la demande du maître. Mon oncle était mort de rire. Ma mère ne riait pas. De retour à la maison, elle m'a flanqué une deuxième raclée pour m'apprendre à ne plus me mêler d'une affaire sérieuse comme l'épargne familiale qui ne concerne que les adultes. J'ai pris refuge dans l'atelier de mon oncle. Il m'a laissé barbouiller des canevas avec ses pinceaux et il m'a dit qu'un jour on travaillerait peut-être ensemble. Je sais. Tu t'en moques, de tout cela. Si je te parle de mon oncle, c'est parce que c'est lui qui m'a amené là-bas. Et c'est lui qui a tout compris. Sur la vie. La mort. Celle de ton grand-père et de son ami le colonel. S'il y a quelque chose à comprendre… Je l'ai averti de l'heure de notre arrivée. Tu pourras loger chez lui. Il ne se porte pas bien. Je crois qu'il va bientôt mourir, mais il tient à te rencontrer. Tu seras reçue comme une princesse. Je dis comme une princesse, mais là-bas les mots comme les gestes n'établissent pas de hiérarchie. Tu seras reçue comme toute personne qui vient en bien mérite d'être reçue. Tu auras droit à tout le peu dont ils disposent, mais tu n'apprendras rien sur des choses auxquelles ils n'accordent aucune importance. Et tu repartiras bredouille ou enrichie d'un je ne sais quoi qui te poursuivra toute ta vie. Comme l'enquêteur qui était venu de la capitale pour "ramener des coupables".

Il nous faudra une heure pour quitter la ville. Nous en aurons ensuite pour six heures de route. Les plaines. La montagne. Les villages qui bordent la route nationale. La nationale. La montée. La descente. Puis la terre battue. Puis les lits trop larges des rivières. Puis les gravats. Puis de nouveau la terre battue. Et enfin, nous y serons. Quand nous aurons laissé la capitale derrière nous, le paysage changera. La température aussi. Pas vraiment, mais ici, on a l'impression que la chaleur est plus sale que là-bas, le soleil plus méchant et la sueur plus compacte. Je devine ce que tu penses. Je te l'ai dit, j'ai l'habitude des *shit* et des *feo* des clients qui arrivent des pays du Nord. Ils s'installent dans mon véhicule, évitent les verbes et la grammaire, préfèrent les gestes et les phrases courtes, m'indiquent ce qu'ils souhaitent comme s'ils passaient des ordres à un enfant débile, se font vite une idée de tout. Un touriste, c'est très souvent un portefeuille qui commente le peu qu'il voit sur un ton sans appel. Sans doute estiment-ils que le tarif qu'ils payent leur donne droit à une opinion, que leur cash leur confère un brevet d'expertise. A peine débarqués, ils ont déjà trouvé matière à commentaire. Moi, ça ne me dérange pas. Quand ils parlent, ça m'évite de parler. Je me contente de conduire en faisant semblant d'écouter tout en pensant à autre chose. J'ai un deuxième métier, j'invente des paysages. Des villes aussi. Quand ils parlent, j'en profite pour peindre des images dans ma tête. Toi, c'est différent. C'est un peu comme si on se connaissait, à cause de ton père. Et cette phrase dans ta lettre : *"J'aimerais écouter et comprendre."* Alors, dis-moi ce que tu penses de ma ville. Tu dois la juger étrange, prétentieuse et loufoque, ma capitale, toi qui arrives d'une vraie ville, avec des lois qui régissent tout, y compris le volume auquel chacun a droit. Je la connais un peu, ta ville, par les films, la lecture et les cartes postales. Je sais qu'il y a un fleuve, des berges, des trams et des jets d'eau. Tu habites près du fleuve ? J'ai toujours aimé l'idée d'un cours d'eau qui arrose une grande ville. Tu peux me parler, nos voix sont à égalité puisque tu es venue écouter, même quand ce que tu veux entendre est une affaire privée qui ne concerne que toi. Donne-moi tes impressions, en mémoire de ton père. Lui ne parlait pas beaucoup. Peut-être est-il resté le même jusqu'à la fin de sa vie. C'était un garçon triste, interdit de parole. Ne fais pas comme lui. Parle-moi de la ville d'où tu viens. Raconte-moi les berges et les trams. Une voix qui raconte, c'est plus vrai qu'une photo. Dans mon enfance, il manque une voix qui raconte. Ma mère, elle, ne savait que prédire des catastrophes et me raconter mon père, mon "salaud de père". Voilà une chose que nous partageons, l'absence d'un père. Le tien, il est mort trop tôt pour te raconter des histoires. Le mien, il aimait trop les routes. Peut-être que le tien aussi aimait trop les routes. Le matin de son départ, avec son sac et son argent de poche, il avait l'air tellement heureux. Toi, tu cherches à mettre des mots, un récit à cette voix qui nous manque à tous les deux. Moi, je me suis fait une raison. Dans mon enfance, j'ai parlé avec mes poings à cet absent dont ma mère parlait tout le temps. Le soir, à la lueur des lampes, il devenait une ombre et je prenais plaisir à lui casser la gueule. J'avais les poings meurtris de tabasser le vide. Mon oncle me laissait faire, ma mère me reprochait un penchant pour la violence. Pourtant, les coups, c'était autant pour elle que pour moi. Après, j'ai grandi et, "mon salaud de père", je n'ai pas souvent ressenti le besoin de l'entendre ou de lui parler. Ni celui de le frapper. On se lasse de taper sur un être fictif. Je me suis dit qu'un oncle, c'est pas si mal. Ça peut même être mieux. Quand j'avais des questions, mon oncle m'aidait à trouver les réponses. Il t'aidera, à sa façon. S'il en a encore la force. C'est presque un mort, maintenant. S'il lui reste un souffle de vie, il t'aidera. Mais ce n'est pas sûr qu'il puisse te faire écouter la voix qui manque à ton enfance. C'est peu probable qu'ils aient les réponses à tes questions dans ce lieudit d'Anse-à-Fôleur où nous n'arriverons qu'à la nuit tombée. Ils viendront quand même t'accueillir. Si la lune est clémente, tu pourras apprécier leurs sourires. Tu trouveras là-bas des sourires, une plage sauvage mais gentille, des fruits, du pain doux et beaucoup de chansons de mer, du poisson boucané, des paumes grandes ouvertes, des artistes de grand talent travaillant à la bonne humeur, les plus habiles constructeurs de tonnelles et de bois fouillé, des contes et des légendes pour donner du voyage à la vie quotidienne, mais pas de réponse à tes questions. J'y étais lors de l'incendie, et je continue de m'y rendre tous les mois pour régler des affaires avec mon oncle. Mais personne, ni cette nuit, ni le lendemain, ni des années plus tard, n'a jamais parlé de la disparition de ton grand-père et du colonel. Alors, si c'est pour ça que tu y vas, autant changer d'avis, nous épargner six heures de route, et faire comme une vraie touriste, chercher ici le nirvana et tomber en extase devant la première pacotille qui attire le regard dans une boutique d'artisanat. Si tu préfères la pauvreté comme source d'émerveillement, prépare ta caméra et je te conduirai dans les anciens beaux quartiers aujourd'hui en ruine, ou, mieux encore, les bidonvilles. Tu pourras t'attrister en regardant le linge accroché aux fils et aux murs délabrés, pleurer sur les fillettes enceintes et les vieilles femmes courbées devant les réchauds allumés et préparant la nourriture du jour tout près des monticules d'immondices. Emue par le spectacle, tu pourras verser toutes les larmes de la charité. Après, pour changer, tu pourras passer quelques jours dans un hôtel de plage à manger des fruits frais et à boire du lait de coco. Là, tu mettras la main sur un étalon noir et te payeras pas cher une "expérience sexuelle". Ne prends pas offense de ma proposition. On n'a pas à juger les gens de chercher un plaisir à leur convenance, selon leurs attentes. C'est seulement quand ils en font une loi que cela pose problème. C'est l'un des principes fondateurs du code de Justin, le législateur bénévole de ce lieudit d'Anse-à-Fôleur : toute personne devrait pouvoir être l'aide-bonheur d'une autre personne. Donc, dis-moi ce que tu cherches, et mon devoir, c'est de te le trouver. Excuse-moi. Je te mens un peu. La colère me gagne quelquefois quand je pense à ceux qui ne peuvent pas bouger et à ceux qui arrivent ici en clamant qu'ils sont venus "matérialiser leurs fantasmes". Une jeune femme m'a dit ça. Elle s'est installée ici. Le matin, elle aide des gosses d'un quartier pauvre à dessiner leurs problèmes. Thérapie, elle appelle ça. Comme si les gosses, ils ne rêvaient pas de dessiner autre chose. Le soir elle habite un bar et se soûle avec application. Aujourd'hui, elle n'utilise plus mes services, et quand je la croise elle se moque en m'accusant de travailler avec ces gens qui ne comprennent rien au pays. Pourtant elle n'a pas changé, et la seule différence, c'est que son manque de modestie se poursuit dans la permanence. Une cliente qui n'est pas partie... Mais pareille à tous mes clients. Dieu, ce qu'ils ont des choses à dire ! Je note leurs propos et je les rapporte à mon oncle. Il me conseille d'en faire un recueil de citations. Mais qui lirait un tel livre ! Concernant l'étalon, j'aurais peut-être pas dû te le proposer. C'est vulgaire. Pardonne-moi. Comme dit Justin, en matière de paroles, si l'excuse est sincère, elle répare l'injure et vaut bien le pardon. Au village, ça se passe comme ça. Mon oncle non plus n'aurait pas apprécié. Et puis jolie comme tu l'es, les hommes de tous les âges et de toutes les couleurs doivent te courir après. Mais les belles étrangères, on ne comprend jamais ce qu'elles ont dans la tête ou le cœur, pour ne pas nommer d'autres parties du corps. Une fois, une jolie fille m'a demandé de lui trouver des tamarins et des partenaires pour de nouvelles expériences sexuelles. C'étaient ses mots. Une belle fille comme toi. Une amie lui avait raconté que les tamarins d'ici ont meilleur goût que ceux d'ailleurs et il semblerait qu'au pays d'où tu viens il y ait des femmes qui s'imaginent qu'à force de soleil et de potion magique les mâles ici ils ont des sexes gros comme un baobab. Pour les tamarins, c'était facile. Je n'avais pas le temps d'aller lui en chercher des frais à la campagne. Je suis allé dans un supermarché, à la section fruits importés. J'ai pris deux paquets. J'ai enlevé l'emballage en plastique et les étiquettes. Ensuite, j'ai négocié avec une marchande de charbon pour qu'elle me vende le petit panier tout abîmé qui lui servait de mesureur. J'ai donné un coup de brosse au panier et j'y ai placé les fruits. Elle a trouvé que les tamarins d'ici avaient vraiment un goût particulier, une saveur plus sauvage. C'était une étudiante en art. Côté hommes, je croyais qu'elle cherchait des esthètes. Je lui ai présenté mes amis, les artistes de la Grand-Rue. Elle a choisi celui qui ressemblait le plus à un zoulou de bande dessinée, un de ces cas où le réel s'adapte à la caricature, qui n'était pas du tout artiste mais traînait avec la bande juste pour la bière et la marijuana. Ils n'ont pas échangé trois mots, puis ils sont partis ensemble. En la reconduisant à l'aéroport je n'ai pas osé lui demander si elle avait trouvé son expérience sexuelle aussi intéressante que les fruits. Si tu vas à un hôtel de plage, tu n'auras qu'à faire signe à un serveur ou prendre un rhum sour au bar, les hommes te suivront comme des mouches, et dans le lot il s'en trouvera forcément un qui sera à ton goût. Les belles étrangères, les pas belles aussi, c'est un peu comme ces agences de l'humanitaire ou la Croix-Rouge internationale. Il leur faut des victimes, des cobayes ou des subalternes. La belle fille comme toi, étudiante en art et dévoreuse de tamarins, souhaitait un homme bête comme un fruit. Parmi mes amis, il en est qui sont peu doués pour la lecture et l'écriture. Toute question sur leur travail leur est une torture. Ils ont du mal avec les phrases, et si on apprécie leur art mieux vaut ne pas les écouter. Il y en a d'autres qui ne rigolent pas avec l'histoire et la théorie et qui se privent de nourriture pour s'acheter des bouquins et être à jour dans leurs lectures. La toute belle, elle ne les aimait pas trop, ceux-là. Leur manque de naïveté la contrariait beaucoup. Elle ne voulait pas perdre sa valeur ajoutée. Les touristes, je les sens vite passer de l'étonnement à l'agacement quand je discute avec eux. Comme s'ils ne me pardonnaient pas mes deux années à la fac d'ethnologie. Oui, deux ans. Mais l'ethnologie, ça nourrit pas son homme. Je préfère faire le guide et exercer mon talent d'artiste clandestin. J'avais quinze ans au moment de la disparition de ton grand-père et de son ami le colonel. Je trichais déjà avec mon oncle. L'ethnologie, c'est venu plus tard. Mais je ne suis pas resté à la fac le temps qu'il faut pour décrocher un diplôme. J'ai acheté une voiture d'occasion, et depuis je joue au guide. J'aime bien rencontrer du monde, même si c'est jamais que des passants. Et quand j'ai besoin d'une vraie vie, je vais là-bas boire un coup avec les pêcheurs, commenter les nouvelles lois élaborées par Justin, discuter de mes villes imaginées avec Solène et mon oncle. Ce n'est pas juste envers eux. Là-bas, je suis un peu un touriste qui profite gratuitement de leur disponibilité. Je fais comme mes clients. Je prends sans donner, et j'en ai honte. Si tu vas là-bas, n'y va pas juste pour consommer des mâles analphabètes et des fruits pourris. Pénétrer dans leurs grottes, escalader leurs rêves. Assez de prédateurs ont pris naissance ici, qui sont encore à l'œuvre. Pas besoin de corsaires venus faire du surnombre. N'y va pas non plus juste parce que tu as besoin d'eux pour construire ta légende, trouver ton équilibre et ton juste chemin. Si tu vas là-bas, il te faudra trouver quelque chose à leur donner. Ce n'est pas dans leur habitude de demander, mais qui c'est qui n'aime pas recevoir !

Pardon, je te parlais des filles. Quand y en a une qui m'intéresse, je joue un peu l'idiot et quelquefois ça marche. Dans tous les cas, si tu le souhaites on peut changer d'itinéraire. J'en ai amené des belles comme toi dans des hôtels de plage pour revenir les chercher le matin de leur départ. Mes statistiques le confirment : si elles sont satisfaites de leur “expérience”, elles ont l'humeur un peu plus dépensière. Je profite de cet état de béatitude pour les conduire chez mes amis les artistes. Il n'y a pas que les corps, l'art aussi ça s'achète. Nous traversons la ville en sens inverse jusqu'à l'aéroport et je leur chante un bel au revoir. En peu de temps et à peu de frais, elles ont accumulé suffisamment d'images et d'impressions pour remplir un album-souvenir. Elles auront sur leurs collègues l'avantage d'avoir visité un pays du Sud. Je les imagine dans une belle ville comme la tienne, dans un quelconque appartement, entre amis, ou lors d'une réunion de travail. Un imprudent introduit dans une conversation le thème de la vie à l'autre bout du monde, du génie de la pauvreté et des tares des insulaires. Elles parlent alors d'autorité, font leur intéressante, revendiquent les vertus de la connaissance sensible, disent : J'y suis allée, et provoquent la jalousie de leurs congénères qui tardent encore à investir une partie de leurs économies dans le marché de l'exotisme et n'ont encore touché du doigt que le coin de ciel de banlieue visible de leur appartement.

Je t'embête avec mes propos. Je ne voulais pas t'offenser. Je n'aurais pas dû te raconter toutes ces sottises sur les chercheuses de poux, d'étalons et de fruits tropicaux. Toi, tu viens pour trouver une histoire à ton père. Quelque chose qui le garde en vie. Percer le mystère de la disparition de ton grand-père. Comprendre le choix de ta grand-mère de diriger une brocante spécialisée dans les collections roses jusqu'à son décès. Des romances. Un paradis pour les jeunes filles qui n'y allaient pas seulement pour les livres mais aussi pour bavarder avec l'animatrice-propriétaire. Tu viens te construire une famille. Méfie-toi. Les familles, ça ne suit pas toujours les rêves. Au décès de ta grand-mère, les ayants droit, cousins, alliés et autres collatéraux ont jeté aux poubelles et brûlé sans remords les histoires d'amour qui faisaient son bonheur, et transformé sa brocante en dépôt de produits pharmaceutiques. Tu m'inquiètes avec ton besoin de savoir. Il n'y a rien à savoir que tu ne saches déjà. Mais j'avoue aussi que tu m'impressionnes. Mon oncle a très envie de te connaître. La fin est proche. Il ne se lève pratiquement plus de son lit, et c'est de là qu'il regarde désormais la mer. Il a toujours vécu avec les images, mais il sait reconnaître la puissance des mots. En écoutant ceux de ta lettre il a été ému et fait passer l'information de ta venue aux habitants du village afin qu'ils te fassent bon accueil. Une recommandation inutile. C'est inscrit dans le code de Justin et, là-bas, instinctivement, ils accueillent les visiteurs avec un grand sourire. Mais mon oncle pense que tu es spéciale, que ce que tu cherches au fond, plus qu'une origine, ce pourrait être un idéal. Que la vraie question que tu te poses, en passant par de longs chemins, c'est celle qu'il avait faite à l'enquêteur : quel usage faut-il faire de sa présence au monde ? C'est pour cela qu'il m'a demandé de fixer avec toi les détails du voyage. Tu ne me dois rien. C'est le village qui paye. Tu y es attendue, mais encore une fois, je t'avertis, ils ne te donneront aucune information sur les circonstances de la mort de ton grand-père et de son ami le colonel. Déjà, de leur vivant, personne ne parlait de ces deux-là. Moi qui ne suis pas de là-bas, avec la précipitation des adolescents je commentais la forme des deux maisons. Pourquoi étaient-elles identiques ? J'interrogeais les gens sur cette étrange famille : une lectrice de romances, un garçon triste et un homme d'affaires qui faisait le même sourire à tout le monde, un sourire froid qui ne m'inspirait pas confiance. Et les domestiques qui changeaient tout le temps. Chaque année, ils arrivaient de la capitale avec une nouvelle. Elles n'avaient pas le droit de lier amitié avec les habitants du village. Elles faisaient vite les courses, et retournaient à leurs travaux. On entendait la voix de ta grand-mère qui leur courait après. Ce n'était pas sa voix de lectrice de romans d'amour. Une voix à la fois haineuse et plaintive. Pourquoi leur parle-t-elle ainsi ? Pourquoi ci ? Pourquoi ça ? J'avais plein de questions sur eux et leur voisin, le colonel. Lui, je le connaissais de réputation. A quinze ans, à cette époque-là, fallait avoir passé sa vie sous ses draps ou dans les jupes de sa mère pour ne pas connaître les noms des militaires et des miliciens qui avaient pouvoir de vie et de mort sur l'ensemble des habitants du territoire de la République. Il avait l'air jeune pour un retraité. Il vivait seul. Une fois par semaine, deux soldats, toujours les mêmes, traversaient le village à vive allure dans un véhicule militaire, déposaient une femme, jamais la même, devant l'entrée de sa maison. Les soldats passaient la nuit dans le véhicule, et le lendemain, tôt le matin, la femme sortait de la maison, l'air épuisé, montait à l'arrière de la voiture sans échanger un mot avec les soldats, et le trio repartait comme il était venu. Pendant neuf mois, les deux maisons restaient inhabitées. Le village avait ses habitudes. Quand il y avait un malade dans une maison, sa maladie était l'affaire de tous. Bouillons, potages et bonne humeur. Les voisins assiégeaient gentiment la demeure et accompagnaient la maisonnée dans ses inquiétudes, encourageaient le convalescent et ne le rendaient à lui-même qu'après sa guérison. De même, quand venait un anniversaire, on le fêtait comme ailleurs on célèbre une fête patronale. Tous y participaient. On amenait le peu qu'on pouvait offrir, souvent rien à part soi-même, un moment, un conte, une anecdote, un vieux banjo et des chansons de mer. Les maisons de ton grand-père et de son ami le colonel restaient inoccupées durant neuf mois. Pourtant personne au village ne songeait à arroser les plantes. Personne ne s'approchait pendant neuf mois des jolies bâtisses. C'était comme si elles n'existaient pas. J'ai voulu savoir pourquoi, mais les réponses m'ont découragé. J'ai cessé d'importuner les villageois avec mes pensées et mes interrogations, et les choses sont restées ainsi jusqu'au soir où les maisons ont brûlé. Même après. Vu que, vivants ou morts, jamais ton grand-père et son ami le colonel n'ont fait partie de nos conversations. En revanche, on a suivi un peu ta grand-mère. Comme j'étais celui qui faisait le va-et-vient entre le village et la capitale, je suis allé aux renseignements avec l'aide de l'enquêteur et j'ai su qu'elle avait créé cette brocante de romans d'amour, très fréquentée par des jeunes filles de différentes origines qui ne se rencontraient jamais ailleurs, n'habitant pas les mêmes quartiers, n'allant pas danser aux mêmes bals, n'étant pas destinées à finir dans les bras des mêmes hommes. Elle était devenue une marchande d'illusions vivant modestement. Sa seule extravagance, c'étaient ses robes démodées et inconfortables qu'elle confectionnait elle-même, sur le modèle de celle que telle héroïne avait portée un soir de noces. Tous, à part ses clientes, la disaient un peu folle. La rumeur voulait qu'elle engageât de longues conversations, parfois même des baisers mouillés, avec des êtres imaginaires. Je suis allé une fois à la brocante. Je n'ai rien acheté, les romances n'ont jamais été mes lectures préférées. Et je ne voulais pas troubler ce qui me semblait être une sorte d'atelier de la passion amoureuse. Elle lisait des passages à des jeunes filles en larmes sur les déboires de telle ou telle créature de papier. Elle ne m'a pas reconnu, et je ne me suis pas présenté à elle. Elle avait gardé le pas d'héroïne de roman rose qu'elle avait au matin qui suivit l'incendie. Elle était ailleurs et heureuse. Je les ai laissées à leur monde. Plus tard, j'ai su aussi qu'à sa mort on avait trouvé dans le tiroir de sa chambre quelque chose qui ressemblait à un manuscrit. Ta grand-mère, elle a vendu des rêves idiots à des jeunes filles idiotes. Je suis certain que ces jeunes filles, même dans leur vieillesse, se souviendront de la brocanteuse de l'avenue des Lauriers. On n'a jamais eu de nouvelles de ton père.

Il est parti à pied, avec un sac à dos. Aujourd'hui, voilà qu'il nous arrive, la bouche pleine de questions, une jeune femme qui nous dit être sa fille, et qui, apparemment, ne le connaît pas mieux que nous. Peut-être ne souhaitait-il pas être connu. Peut-être sa générosité à lui consistait-elle à garder ses blessures pour lui seul. Peut-être était-il un animal né pour l'errance qui n'a jamais su se fixer. Mon oncle a une thèse. Ce n'est d'ailleurs pas qu'une thèse. C'est une chose très concrète que Solène et moi nous l'aidons à réaliser. Il l'appelle : la belle amour humaine. Selon lui, chacun y tient sa place. Et il ne faut pas demander à quelqu'un d'y occuper la place d'un autre. Ton père, on lui a peut-être trop souvent demandé d'occuper la place d'un autre. C'est déjà pas mal d'occuper une place dans le paysage. Tous n'y entrent pas. Ton grand-père et son ami le colonel n'y ont pas eu accès. Ni vivants ni morts. Je crois qu'ils s'en foutaient. S'il faut leur reconnaître une qualité, ils n'ont jamais cherché l'amitié du village et n'avaient pas besoin des autres pour être contents d'eux-mêmes. Je les revois, impassibles, intouchables, se livrant sur la plage à leur marche matinale. Je vois aussi le village tel que tu le verras, sans eux et sans "les belles jumelles", et je me dis que c'est pas plus mal.

Un enquêteur était venu de la capitale. Un petit monsieur qui n'avait pas l'air méchant mais qui était pourtant considéré comme le meilleur limier des services de police. Un spécialiste des grandes affaires. Deux notables avaient trouvé la mort et disparu sans laisser de traces dans des circonstances pour le moins troublantes dans une localité que le ministre et les membres de son cabinet avaient eu beaucoup de mal à repérer sur la carte. Deux hommes en bonne santé, sûrs d'eux-mêmes, ayant fait une carrière honorable dans leurs professions respectives et conquis une place enviable au sein de la haute société. Le ministre tempêtait :

— C'est quoi, Anse-à-Fôleur ?

— Nous vérifions, monsieur le ministre.

— C'est où, Anse-à-Fôleur ?

— Vers le nord, monsieur le ministre.

— Le Nord-Est ? Vers la frontière ?

— Le Nord-Ouest, monsieur le ministre. Leur frontière, c'est la mer, monsieur le ministre.

— C'est qui, Anse-à-Fôleur ?

— Personne, monsieur le ministre. Une poignée d'habitants sans fortune et sans patronyme.

— Caractéristiques générales ? Signes particuliers ?

— Néant, monsieur le ministre. Une bourgade sans mérite (un lieudit, qui assume loin de tout son face-à-face avec la mer) dont le nom n'a figuré qu'une seule fois dans la chronique mondaine des quotidiens de la grande ville, en référence aux résidences secondaires, en tous points identiques, que les deux amis avaient fait dessiner et construire par un architecte en vogue et baptisé Les Belles Jumelles. Rien à signaler, sauf une statue de sainte Anne qui attire parfois des pèlerins.

— Ah. Sainte Anne ! Une grande sainte…

— Laquelle des deux, monsieur le ministre ? Il y en a au moins deux. Deux qui sont très connues, et une pléiade de moins…

— Bon. Peu importe. Résumons. Quel type de pèlerins ?

— Des miséreux, monsieur le ministre.

— Des miséreux… Mourir à Anse-à-Fôleur ! Ça pue le crime à mille lieues !

— Deux cent soixante-quinze kilomètres, monsieur le ministre. La nationale 1 sur cent kilomètres, puis une bifurcation…

— Peu importe. Résumons : deux grands nègres…

— Nègres ? monsieur le ministre. J'ai commencé mon enquête. L'homme d'affaires Robert Montès ne voulait pas être nègre. C'est même chez lui une tradition familiale, monsieur le ministre.

— Peu importe. Qui vous a demandé d'enquêter sur les victimes ! Résumons : on ne tue pas impunément des personnes de qualité. Le colonel Pierre André Pierre a protégé l'Etat contre les apatrides, les trotskistes…

— Léninistes, monsieur le ministre.

— Peu importe. Résumons…

— Avec votre permission, la nuance est de taille, monsieur le ministre… Les trotskistes, contrairement aux léninistes…

— Peu importe. Résumons…

— Mais…

— Pas de mais, monsieur l'enquêteur. Résumons : le colonel Pierre André Pierre a protégé l'Etat contre… les voyous et les emmerdeurs. C'était un de ces braves sur la force desquels repose tout l'édifice social. Quant à mon ami, en tant que créateur d'emplois et philanthrope, il contribuait au développement de l'économie nationale. La perte est incommensurable. C'est où, dites-vous, Anse-à-Fôleur ?

— Vers le nord, monsieur le ministre.

— Des antécédents criminels ?

— Aucun, monsieur le ministre. Pas depuis l'histoire coloniale quand y résidaient des pirates.

— Peu importe. Résumons : ramenez-moi des coupables. Et présentez mes sympathies à la veuve. En mon nom propre et au nom du gouvernement.

— Mais, monsieur le ministre, on ne peut pas exclure la veuve de la liste des suspects.

— Ecoutez, monsieur l'enquêteur. Cette femme avait des airs de veuve du vivant même de son mari. Ou plutôt une allure de fantôme. Les fantômes ne tuent pas. C'est quelqu'un de là-bas. Qu'il soit seul ou plusieurs, ramenez-nous ce quelqu'un.

— A vos ordres, monsieur le ministre.

Avant de repartir pour la capitale, l'enquêteur nous a joué la scène. Il est devenu très bon à ce jeu depuis qu'il a pris sa retraite. Il tient un bar dans une zone interlope où l'on n'a plus de certitudes sur les mérites à récompenser et les pratiques condamnables. Des repris de justice et d'anciens fonctionnaires des services des douanes et de la police vont y boire et se rappeler le temps jadis. Ils ont pour la plupart changé de domaine d'activité et se rient de leurs défunts antagonismes. Ils pratiquent l'aide humanitaire et reprennent parfois du service quand une cause les intéresse : une femme battue, une escroquerie envers les faibles. Dans la clientèle, on compte aussi de simples citoyens qui n'ont jamais porté d'arme à feu ni forcé de serrure. Ils y vont parce que l'ambiance y est joviale, les bagarres interdites, les propriétaires sympas, et le nom attrayant. L'enquêteur, il était arrivé avec des questions, un ordre de mission, et tout le savoir-faire nécessaire pour ramener des coupables. Il est reparti avec sa lettre de démission et un nom pour son bar : L'Anse-à-Fôleur. J'y vais parfois prendre une bière. Il laisse alors ses partenaires s'occuper du service, et je lui donne des nouvelles de là-bas, de mon oncle, de Justin, de Solène qui n'est plus une jeune fille depuis longtemps mais qui n'a pas permis au temps de faire la moindre ride à sa beauté sauvage.

Ils avaient délégué leur meilleur enquêteur. C'est une chose que tu dois savoir, toi qui as voyagé et vécu au cœur des métropoles : les centres n'aiment pas le lointain, sauf à le conquérir. Dans la ville d'où tu viens, s'il faut croire les informations, les nouveaux venus qui débarquent du bout du monde, on les prend un peu à l'essai le temps de voir s'ils sauront s'adapter à une nouvelle sagesse. Comme une école d'application qui ne garderait que les meilleurs. Non, les centres n'aiment pas le lointain. Les centres, il en existe de plus puissants que d'autres. Ma ville n'est rien face à ta ville. Mais tous les centres se ressemblent. Ils ne supportent pas les errements de la marge. Manigat, le vieux coiffeur de la rue Montalais, était un homme du centre. Il accusait les gens de la province de venir foutre la merde dans sa belle capitale. Sa femme avait accueilli une petite fille en domesticité. Elle disait "une petite parente" et refusait d'utiliser le vocable "domestique". Dans les faits, c'était ça. La gamine, elle était là pour servir, et recevait pour ses services le pain maigre de l'instruction dispensée par l'école du soir, des vêtements propres, un matelas de fortune et juste de quoi nourrir sa faim. Mais le mot "domestique" demeurait interdit. Et Manigat, toujours aussi farceur, faisait enrager son épouse en s'adressant à la gamine d'une voix mielleuse : “Petite parente, va me chercher mes pantoufles ; petite parente, prends-moi un verre d’eau fraîche.” Une fois n’est pas coutume, le jour de l’an, Mme Manigat avait acheté des vêtements et des chaussures neuves à l’enfant. Dès que sa femme sortait de la maison, Manigat ordonnait à la fillette de se déchausser. Il lui mettait ensuite la chaussure droite au pied gauche et la chaussure gauche au pied droit, et l’envoyait ainsi faire des courses dans le quartier. Un jour, en rentrant chez elle, sa femme a vu l’enfant qui boitillait dans la rue. Elle a piqué une colère et a débarqué dans le salon de coiffure la bouche pleine d’injures. Manigat, sans perdre son sourire, s’est défendu en expliquant que c’était juste une épreuve à laquelle il soumettait la gamine. Autrement, elle croirait que les choses sont faciles, ici, à la capitale. Les gérants du monde qui ont fixé les lois de la géographie, c’est tous des Manigat. Ils n’ont qu’un seul principe : le centre, ça se mérite, le lointain, ça se surveille. C’est la loi du plus fort. Et voilà que dans le vieux bourg d’Anse-à-Fôleur, le plus fort était mort. Vous auriez fait pareil et cherché un coupable. Un homme d’affaires. Un colonel. Un incendie. Les autorités de la capitale craignaient une action criminelle annonçant peut-être le début d’une série, une menace venue de la mer qui rognerait l’ordre par les ailes. Le ministre avait dit : Trouvez-nous des coupables. Au ministère, ils n’avaient pas hésité. Ils avaient délégué un expert. Le meilleur. Malgré sa petite taille, il en imposait avec ses carnets, son palmarès de trente-cinq énigmes résolues, sa discipline de travail et son sens du service, ses nombreux stages à l’étranger dans des académies prestigieuses, une liasse de billets neufs venus tout droit de la Banque centrale, son arme de service et son génie de la déduction. Un tel homme et un tel CV, ailleurs ça aurait marché. Mais dans ce lieu-dit d'Anse-à-Fôleur, ils sont en paix avec eux-mêmes. Et quand s'amène un étranger, les enfants disent à leurs parents : Il est arrivé un nouveau. Et les parents n'interrogent pas les enfants sur la taille ou la couleur du nouveau, son accent, son poids ou ses éventuelles origines. Ils leur demandent seulement s'il a l'air triste ou gai. Et tous accourent accueillir le nouveau avec des gestes avenants et des tonnes de sourires. S'il est gai, c'est facile, on partage sa gaieté, et il aide à la tâche de faire rire les blessés d'humeur mélancolique. S'il est timide et hésitant, on lui accorde le temps qu'il faut pour une adaptation graduelle aux couleurs changeantes de l'eau. Et le nouveau venu se laisse envahir doucement par la maladie de la mer. Dans le vieux bourg d'Anse-à-Fôleur, on ne brusque pas les arrivants, ils décident eux-mêmes des changements qui leur sont nécessaires. Deux jours avaient suffi pour convaincre l'enquêteur de changer son costume sombre contre une chemise bleu ciel à manches courtes, et il avait rangé son arme de service dans sa valise et caché la valise sous une pile d'aquarelles dans l'atelier de mon oncle. Il logeait chez mon oncle. Aux derniers matins de son séjour, il prenait le café avec son hôte, assis devant la fenêtre. Les villageois lui parlaient comme à un ami. Solène, tout en beauté, l'appelait le "petit monsieur de la capitale". Là-bas, c'est un signe d'affection de donner un surnom à chacun. Justin, c'est Socrate. A cause de ses lois qu'il n'impose à personne. A toi aussi ils donneront un surnom, comme un plus, une reconnaissance de ce qui fait que tu es toi et pas quelqu'un d'autre. L'enquêteur, il était arrivé la bouche pleine d'accusations. Il a d'abord cru à une ruse : les suspects lui tendaient les bras comme à un vieil ami qu'ils n'avaient pas vu depuis longtemps.

Puis il a compris que c'était un élan sincère qui portait les enfants à l'inviter à leurs jeux. Les autres adultes étaient trop grands et perdaient exprès les parties de foot ou de ballon prisonnier. Les enfants, ils n'étaient pas dupes, et souhaitaient gagner pour de vrai, ou perdre sans regret, à condition que ce fût devant des égaux. Ils étaient heureux de rencontrer un adversaire de leur taille qu'ils pouvaient vaincre à la loyale. Quant aux adultes, entre voisins ils ne se refusaient jamais rien. Au même titre que les anciens, le nouveau habitait leur cœur et bénéficiait de l'amitié due au voisin. Il était donc normal de lui offrir sa part de soupe et de pain doux. En fonctionnaire consciencieux, le petit monsieur de la capitale persistait à les interroger et à émettre des soupçons sur les uns et les autres. Tous, enfants et adultes, se soumettaient à l'exercice sans colère ni impatience. Lorsqu'on reçoit quelqu'un chez soi, c'est une règle de politesse de consentir à entretenir son hôte sur un sujet que l'on juge sans importance mais qui lui tient peut-être à cœur. Au bout d'une semaine de recherches et d'interrogatoires, le petit monsieur de la capitale avait noté dans ses carnets les faits et gestes des habitants du village la nuit de l'incendie, et de vagues considérations sur la vie quotidienne au petit bourg d'Anse-à-Fôleur. Il avait interrogé séparément ta grand-mère et ton père sur ce qu'ils avaient fait de leur nuit, mais il n'a pas consigné leurs réponses à ses questions dans son rapport. Il en a parlé avec mon oncle, le jour de son départ. Ils avaient pris leur café ensemble. Mais les enfants avaient interrompu la conversation en venant chercher leur partenaire de jeu pour une dernière partie de foot. Il avait joué une mi-temps dans chaque équipe, perdu une fois comme gardien de but, gagné une fois comme avant-centre. Les enfants l'avaient applaudi pour ses prouesses, blâmé pour ses erreurs, amicalement, comme il se doit, entre frères et coéquipiers. Il avait ensuite fait un tour en barque avec un pêcheur. Puis il avait revêtu le costume d'expert de la police judiciaire qu'il portait à son arrivée et sorti sa valise de sa cachette sous les aquarelles de mon oncle. Il avait l'air tout triste. Pour le consoler les enfants lui ont offert le plus beau coquillage ramassé sur la plage en guise de prime de match. Et Solène l'a embrassé sur les deux joues, et tous lui ont dit : A quand tu voudras revenir, le petit monsieur de la capitale.

Ne va pas te faire des idées. S'il n'a pas consigné dans son rapport les faits et gestes de ta grand-mère et de ton père la nuit de l'incendie, ce n'est pas parce qu'ils ont allumé le feu et regardé brûler ton grand-père et son ami le colonel, mais parce que leur nuit ne regarde personne, surtout pas la justice et les hommes de pouvoir qui prétendent l'administrer. Dans son rapport, l'enquêteur s'est contenté d'inscrire, en reprenant les mots des villageois, que "l'épouse et le fils de l'homme d'affaires Robert Montès ne se montrèrent qu'à l'aube, apparemment innocents de tout crime et l'esprit éloigné de toute idée de violence, allant chacun de leur côté, la femme se dirigeant vers l'est d'un pas langoureux d'héroïne de romance que les habitants du village ne lui connaissaient pas. D'habitude elle sortait peu, parlait peu, évitait la plage et les villageois, passait l'essentiel de ses journées de vacances à rabrouer les servantes, toujours trop sales et malhabiles, et ses soirées à la lecture de romans à l'eau de rose dont elle contemplait les photos de couverture d'un air extasié qui faisait plutôt bête chez une femme de son âge, tandis que son époux devisait au salon avec son ami le colonel, le premier ne buvant que du vin de Bordeaux et l'autre du whisky écossais. Le lendemain de l'incendie, on vit Mme Montès, Hélène de son prénom, longer la côte d'un pas de reine, allant vers l'est, comme si, fruit né de ses lectures, elle était devenue le personnage principal de sa romance préférée. A l'autre bout du village, vers l'ouest, son fils, le plus taciturne des garçons, goûtant enfin aux joies de la conversation, s'arrêtait pour répondre au salut des marcheurs, échanger avec eux sur les touts et les riens dont discutent les humains, partageant avec eux une ration d'aube et de rosée."

Oui, tu pourras loger chez mon oncle, et tous te feront bon accueil, mais tu n'en apprendras pas plus que l'enquêteur. Lui, ce n'était pas faute d'avoir tout essayé. La menace, le charme, déductions, inductions, accusant tantôt la femme et le fils de l'homme d'affaires, tantôt Justin, moi-même, tout le monde et n'importe qui. Ses ordres étaient formels : "Ramenez-nous des coupables." Il fallait un malade ou des agitateurs. Au pire, un drame familial. Repartir sans avoir résolu l'énigme, c'était une menace pour son avancement et surtout un échec personnel pour ce passionné de logique. Après tout, disait-il, les maisons, surtout celles des riches, ne brûlent pas d'elles-mêmes, comme par magie, par groupes de deux, sans laisser à leurs occupants le temps de prendre la fuite. Sur le principe, il a raison. On ne meurt pas ainsi dans le monde de ton grand-père. Subitement. Sans préparatifs. A part les cas de gourmandise et de laisser-aller qui provoquent les crises cardiaques et les divers types d'accidents. Dans le monde de ton grand-père, on se donne les moyens d'acheter du temps au temps. Le génie des gens bien consiste à passer leur vie à mener une longue guerre contre l'inévitable. Ils meurent lentement, se préservent, se momifient de leur vivant comme une mesure préparatoire pour perdurer dans l'au-delà, en s'octroyant souvent le droit à une dernière fantaisie : un ultime tour du monde ou un portrait en pied. Enfant, j'accompagnais parfois mon oncle quand il allait livrer une commande à la résidence d'un banquier ou d'un haut fonctionnaire. Bruissements et murmures, comme si l'idée était de rendre le mourant encore plus triste qu'il ne l'était déjà à l'idée de sa disparition prochaine. Aucun sens de la fête. Dans le lieudit d'Anse-à-Fôleur, quand la mort menace un adulte, on lui fait des blagues et on lui chante des chansons gaies, et il rit sans forcer. Et, homme ou femme, on lui offre la possibilité de faire l'amour avec une personne qu'il désirait depuis longtemps. C'est une loi que Justin a inscrite dans son code sous la rubrique "Cadeau de départ", le rire et le plaisir sexuel constituant peut-être les seuls états de grâce réservés aux humains. Dans le monde de ton grand-père, on meurt guindé, en costume sombre. On voit des femmes de soixante ans dont le corps fut longtemps le principal atout prendre des airs de demi-vierge, et des messieurs aux dents serrées, le visage fermé comme une tombe, regroupés autour du vaincu. Tout est lisse et propre. Les cheveux, les chaussures... On dirait des statues qui se shootent à l'antiseptique. Dans le monde de ton grand-père, mourir est une défaite individuelle à laquelle le vivant et ses proches se préparent depuis longtemps. Un mal en progression, le passage du généraliste au spécialiste, des alarmes, des sursis, et le verdict final prononcé, les proches vérifient que les documents sont en ordre, assurent de mauvaise grâce le relais dans la chambre du mourant en pensant à la succession et se consolent du départ attendu en puisant dans le répertoire officiel des formules de circonstance : "C'est mieux ainsi... Dieu a mis fin à ses souffrances..." Ainsi le veut la tradition, un homme d'affaires ou un colonel, ça meurt âgé et seul d'une mort sans surprise, entouré de ses proches, nul ne se portant cependant volontaire pour suivre l'aimé dans l'au-delà. Ça se passe ainsi chez toi aussi, dans la belle ville d'où tu viens. Par rapport à nous, en y regardant bien, vous êtes tous des colonels et des hommes d'affaires. Sur le principe, l'enquêteur avait raison. En matière de mort et d'incendie, les riches n'ont pas le goût des départs collectifs. Chez les pauvres, c'est plus courant. La misère, d'une broutille, une paille ou un grain de poussière, elle te fait un grand feu et détruit un quartier en emportant tout le monde. Les matelas pourris, les bouts de carton, le ferblanc ramolli par le pouvoir des ans, tout cet amalgame de déchets qui fait le bric-à-brac des pauvres, toutes ces choses usagées qui ont passé leur temps, ça se consume vite. C'est facile pour les enquêteurs : négligence des victimes ou cause accidentelle. Ton grand-père et son ami le colonel ont rompu avec la tradition, qui sont allés mourir dans ce lieudit d'Anse-à-Fôleur. Ta grand-mère aussi qui n'a pas pleuré son époux. Et ton père qui est parti dans la semaine, avec un sac de couchage et son argent de poche, et que nul n'a jamais revu. Les premières nouvelles de lui qui nous arrivent depuis son départ, c'est toi. Je crois qu'ils seront heureux de te rencontrer. Tu as ses yeux. Peut-être pas. On cherche toujours des ressemblances entre des personnes dont on connaît les liens de parenté. Une façon de leur enlever un peu de leur individualité, de les mettre dans une série. On s'attend à ce qu'ils aient tels tics, tel comportement, et comme il est souvent facile de trouver ce qu'on était parti chercher, au premier geste qui semble correspondre à nos attentes, on s'écrie : J'en étais sûr, tel père tel fils, et autres propos de ce genre. Non, tu n'as pas les yeux de ton père. Pour te dire la vérité, je ne me souviens pas de ses yeux. Ses traits ont disparu. Je me souviens seulement qu'il était toujours seul et n'aimait pas engager la conversation avec les gens du village, encore moins avec ta grand-mère et surtout ton grand-père. Je n'ai entendu sa voix que le lendemain de l'incendie, à l'aube. Mais je sais ce qu'il a fait la nuit de l'incendie, et qu'il était heureux le lendemain matin. Mais, s'il ne t'a rien dit, pourquoi, moi, te le dirais-je ! Pourquoi aller là-bas chercher la vérité ? Quelle vérité ? Admettons que je te raconte ce que je sais. Ou que quelqu'un d'autre le fasse. Solène. Mon oncle. N'importe qui. La fidélité du récit renverra-t-elle jamais à autre chose qu'à la foi du conteur ! La foi peut être bonne ou mauvaise et parfois les deux en même temps. Par exemple, si je te raconte que mon père à moi, c'est un salaud que je n'ai vu que deux fois dans ma vie, le jour de ma première communion et le jour de ses funérailles, que mon vrai père c'est mon oncle parce qu'il a payé ma scolarité avec sa peinture et qu'il m'a laissé barbouiller ses canevas quand j'étais petit, c'est vrai. Mais si je te dis que je trouve des circonstances atténuantes à mon salaud de père et que je lui suppose des qualités, que quelqu'un qui n'a jamais existé dans ma vie me manque quelquefois, ce sera aussi vrai. On ne résume pas un humain. Mon oncle, qui fut un grand lecteur, affirme que le roman est la plus vulgaire de toutes les formes littéraires, puisqu'il raconte toujours quelque chose de banal, le mélange de petites vertus et de petits travers qui font l'individu. Il était fatigué de peindre des portraits de personnes qui comme nous tous n'avaient rien d'exceptionnel, juste la folie des grandeurs et de la vie éternelle, mais qui avaient de quoi payer. Nulle individualité n'a valeur exemplaire. Seuls les destins exceptionnels méritent d'être racontés. Ceux qui, par l'horreur d'un défaut majeur ou la grâce d'une grande qualité, échappent à la petite histoire. Ton grand-père et son ami le colonel faisaient partie des exceptions. Peut-être pas. J'en connais d'autres dans leur genre. Mais eux avaient atteint la pureté du modèle. L'enquêteur avait consulté archives et journaux, interrogé les connaissances des grands disparus. Il était remonté jusqu'à leur enfance, leur adolescence, leur première rencontre. Le rapport qu'il a rendu au ministre contient plus de faits concernant la vie des défunts que de découvertes relatives aux circonstances de leur décès. Mon oncle possède une copie du rapport. Tu pourras la lire. Mais, si tu le souhaites, je peux te citer le texte et te dire qui ils étaient, ton grand-père et son ami le colonel. Ce qu'ils avaient d'exceptionnel ou d'exemplaire. Quant à leur mort, ce n'est pas le plus important. Le plus important, c'est que ton père a pu donner la vie. Le plus incroyable aussi. Ton père, il avait les yeux morts, et pas assez de vie en lui pour penser à la reproduire. Jusqu'à cette nuit.

Le ministre avait dit : Ramenez-nous un malade ou des agitateurs. Et, en fonctionnaire honnête, le petit monsieur de la capitale avait cherché. L'idée d'une maladie collective lui plaisait. Ses lectures et ses observations lui permettaient de confirmer l'existence de tels phénomènes. Qui n'avait en mémoire les ravages d'épidémies comme le "mal du siècle", le "spleen", l'appel du grand large et autres dérives romantiques ! Et dans les paradis d'où tu viens, où l'enquêteur avait passé ses années de stage, les folies collectives, ce n'est pas ce qui manque. Rien qu'en feuilletant les magazines et en suivant les bulletins de nouvelles, on en trouve pour tous les goûts. Ça va des groupes de jeunes qui se rasent les poils (parce que le poil c'est l'impureté) aux associations de défense des poils (parce que les poils c'est le corps à l'état nature). Des sectes de gnostiques et d'agnostiques aux sectes antisectaires. Des parents qui pratiquent le culte de l'enfant-dieu autorisant chaque nouveau-né à se prendre pour un pharaon que rien ni personne ne devra contrarier jusqu'à ce qu'un jour il pète les plombs, s'achète une arme automatique et tire sur ses parents, un prof ou des copains de classe au couple infanticide qui enterre sa progéniture dans son jardin ou la conserve dans un frigo. Chez vous, au dire de l'enquêteur, chaque geste, chaque état d'âme ne se conçoit pas sans son double. Chaque folie y suppose une folie contraire. Fort de sa dialectique, le petit monsieur de la capitale s'attendait à trouver des adeptes de la pyromanie cachés dans une ville d'eau, et des agitateurs derrière des yeux si calmes. Mais le réel s'amuse à nous désobéir. On n'arrête pas le vent. Dans le vieux bourg d'Anse-à-Fôleur, l'agitation, c'est le domaine du vent. Le vent a sur les choses bâties et les espèces vivantes pouvoir de faire et de défaire. Mauvais, il casse tout, mais à la bonne saison il accompagne les cerfs-volants et ouvre le passage aux oiseaux. Et, tu le découvriras très vite, en dehors des maladies ordinaires dues aux privations, au temps qui broie la vie et aux hasards de la génétique, le seul mal dont on souffre là-bas, c'est la maladie de la mer. C'est une chose que l'enquêteur a consignée dans son rapport. Au petit bourg d'Anse-à-Fôleur, ils n'ont pas les moyens de se payer une grande variété de maladies mentales. Le seul mal collectif, c'est la maladie de la mer. Les hommes partent en mer le matin et rentrent chez eux le soir avec des histoires de mer dans la bouche, une odeur de mer sur leurs vêtements, des images de mer dans les yeux, et leurs pas, quand ils marchent, chaloupent au rythme de la mer. Les femmes, sans être jalouses, lui font des confidences et lui lancent parfois des injures. Et, dans l'exercice ingrat de leur métier de mère, lorsque la vie les force à gronder les enfants, elles leur murmurent : "Si tu continues, quand tu seras grand, tu seras privé de bateau." Ou encore : "Prends garde, un jour tu partiras en mer, et la mer rentrera sans toi si tu es méchant." N'ayant trouvé ni malades ni agitateurs, le petit monsieur de la capitale a rendu son rapport et sa démission au ministre. Ses conclusions, c'était que la vérité derrière cette histoire, et peut-être derrière toute histoire, n'est qu'une matière friable, une poudre grise qui vole au vent. Les deux maisons, identiques en tous points, et leurs propriétaires, le colonel à la retraite Pierre André Pierre et l'homme d'affaires Robert Montès, deux conquérants des temps modernes, avaient brûlé, sans bruit, sans compte, sans attirer un seul regard, à ras le sol, dans une parfaite égalité de catastrophe, et ne constituaient plus que deux petits tas de cendres jumelles dont le volume diminuait au fil des heures, le vent prenant sur lui de les disperser dans la mer. Une semaine après leur disparition, c'était comme si ni les deux hommes ni leurs résidences n'avaient jamais existé. De retour à la capitale, l'enquêteur a rangé ses diplômes, ses certificats et ses médailles dans un tiroir, remplacé son costume sombre par des couleurs pastel. Il a fait la paix avec sa maîtresse, en s'excusant d'une brouille imbécile lorsqu'il l'avait espionnée – réflexe professionnel d'un génie de l'enquête policière – et découvert qu'elle avait un autre amant. Elle s'est excusée de lui avoir caché des faits dont elle n'avait pas honte, mais on n'a pas toujours le langage qu'il faut pour parler de ces choses-là. Elle lui a présenté son autre amant, et ils ont créé à eux trois une société en nom collectif qui ne rapporte pas gros. Ils habitent ensemble et louent les deux appartements superflus, très bon marché, de préférence à des bandes d'amoureux qui dorment avec leurs portes ouvertes. Mais le meilleur de leur revenu, ils le tirent de L'Anse-à-Fôleur. Comme je te l'ai dit, j'y vais de temps en temps, et, à voir le trio, comme tout le monde je me suis posé des questions. Le petit monsieur de la capitale m'a expliqué en souriant, tout tendre dans ses couleurs pastel, qu'il a retenu de sa visite à Anse-à-Fôleur que tout ce qui compte, c'est le bonheur. Le reste, c'est des entraves. Qu'il est heureux. Que sa maîtresse est heureuse. Que les seuls criminels qu'il convient de poursuivre sont ceux qui veulent pour eux seuls tout le bonheur du monde. Que parfois la nature ou le hasard s'en chargent. Et les choses ainsi rendues nécessaires par un principe supérieur d'équité finissent par advenir d'elles-mêmes sans l'intervention d'un auteur.

Tu dors ? En amont, une question tourmentait l'enquêteur. Quelle pouvait être l'origine de l'amitié qui liait le colonel à la retraite Pierre André Pierre, ancien commandant de troupes, ancien chef de la police politique, ancien instructeur de l'académie militaire, et l'homme d'affaires Robert Montès, propriétaire d'une agence de voyages et organisateur de vols charters vers l'Europe et vers Israël, président d'honneur de la Fondation des amis des bêtes, membre du conseil d'administration d'une banque et actionnaire principal de trois ou quatre entreprises de taille moyenne qui servaient de couverture à la contrebande de produits alimentaires ? Les informations que le petit monsieur de la capitale avait réunies lui présentaient le profil de deux ennemis potentiels. Deux hommes de pouvoir certes, mais leurs façons de le conquérir et de l'exercer étaient différentes. Leurs origines et leurs manières, leurs tempéraments, leurs habitudes sociales, tout les éloignait l'un de l'autre et les prédisposait à devoir s'affronter sans réserve ni pitié dans l'exercice des vieilles querelles de couleur, d'origine et de stratégies de domination, souvent meurtrières et sordides, qui avaient opposé tout le long de l'histoire nationale noiristes et mulâtristes, “nationaux” et “libéraux”, aristocratie terrienne et bourgeoisie de comptoir, héritiers et self-made-men.

Le colonel Pierre André Pierre était un homme d'action qui travaillait à l'instinct et tenait à rester libre de ses mouvements. Il fréquentait peu de monde, parlait peu, n'émettait jamais d'opinion et ne rendait compte qu'à ses supérieurs, ce uniquement lorsque les règlements militaires l'y obligeaient. Il ne gardait pas d'attaches avec le passé et ne s'embarrassait pas de nouvelles relations. Il s'était même débarrassé dans son souvenir de ses parents, et il avait lui-même procédé à l'arrestation de plusieurs cousins et alliés dont les terres avaient quelque valeur sur le marché de l'immobilier. Dans son adolescence, il habitait une chambre de pension à la capitale durant l'année scolaire et passait les grandes vacances dans son patelin natal. Il tapait sur tout le monde, ses condisciples de classe, ses maîtres, les enfants de sa logeuse, sa famille proche, les petits paysans qui se baignaient dans la rivière. A la ville comme à la campagne, son arrivée était synonyme de violence. Les seules personnes sur lesquelles il n'avait jamais levé la main étaient son père et sa mère, non par piété filiale, mais simplement parce qu'il les terrorisait suffisamment sans avoir à les menacer et obtenait sans trop d'efforts tout ce qu'il voulait d'eux. A son inscription à l'académie, ses parents nourrirent un temps l'illusion qu'il y apprendrait la discipline, et, pour s'assurer qu'il allait enfin grandir en sagesse, ils le conduisirent au temple vaudou du village avant le grand départ pour l'école militaire. Ils lui conseillèrent de toujours s'en remettre à l'esprit des lois qui le protégeraient des affres de la ville. Il visita quelques temples mais ne fut guère un serviteur assidu, ayant vite compris que le pouvoir de l'uniforme et des armes en imposait parfois aux dieux. De plus, il s'était dit qu'avec son physique, son origine, son langage fortement marqué par des défauts de prononciation, les gens de la capitale le prendraient forcément pour un vaudouisant initié à la magie et œuvrant sous la protection des dieux tutélaires de la nation. L'avantage d'être pris pour un grand initié, c'est de n'avoir aucun besoin de l'être dans la réalité et de ne pas avoir à dépenser en prières et en libations un temps précieux qu'on peut utiliser autrement. Quant à la sagesse dont se réclamaient ses parents, tout ce qu'il en savait, c'était qu'elle condamnait les gens à mourir de privations, à la place où ils étaient nés, sans avoir osé satisfaire leurs envies, sans même s'être jamais demandé quelles pouvaient être leurs envies. Contrairement à un grand nombre de ses camarades de promotion d'origine modeste comme lui, il ne portait pas sur son visage les marques d'humiliation et de mépris qu'un fils de la campagne doit subir de la part des enfants de la ville. Quand on passe sa vie à recevoir des coups de pied au cul, cela finit par transparaître sur le visage. Les hauts gradés de l'armée avaient des faces balafrées sur lesquelles se voyaient d'anciennes privations : une enfance de soupes maigres et de salaisons rances ; les frustrations sexuelles de l'ancien paria ; la gêne d'un prénom pour patronyme ; les uniformes cent fois reprisés, les cols sales, les rebuffades… Le colonel Pierre André Pierre n'avait pas subi moins de vexations que ses collègues, mais il n'avait ni la vocation de l'idéologue qui nourrit sa théorie sociale de son expérience personnelle, ni la haine du vaincu assoiffé de vengeance. Du moins n'avait-il pas la faiblesse de laisser soupçonner ses réflexions ni ses motivations. Sa promotion jusqu'au grade de colonel n'était pas due aux serments d'allégeance ni aux intrigues de palais. Pierre André Pierre était un homme d'action qui ne se plaignait jamais de rien, ne reculait devant rien, n'hésitait jamais, ne connaissait rien d'impossible.

Le président, qui avait des lectures et dressait le profil psychologique de chacun de ses hommes, avait rappelé à ses conseillers accusant le jeune officier de forcer un peu trop la note en matière d'exactions, ce qui risquait de donner mauvaise presse au régime, que petit Pierre était à sa façon un sensualiste et un spontanéiste, qualités plutôt louables pour un enfant de la révolution. Ses accusateurs devraient plutôt suivre son exemple. Mais, en vrai sage, le président savait que les meilleures qualités ne sont utiles qu'un temps. Promu à une trop haute fonction, tout homme d'instinct peut sombrer dans l'aventurisme. A la place du grade de général qui lui revenait dans la hiérarchie, le colonel Pierre André Pierre eut droit à une retraite anticipée qui changea peu de choses à ses habitudes et à ses revenus. Il recevait une pension spéciale du ministère de l'Intérieur. Pour le reste, il n'avait qu'à souhaiter, même pas à demander. Un importateur, propriétaire d'une chaîne de supermarchés lui fournissait gratuitement whisky écossais et cigarettes américaines. Il s'invitait dans les meilleurs restaurants. Derrière son dos, quelques-uns parlaient mal de lui et l'appelaient “monsieur je prends”.

L'homme d'affaires Robert Montès avait des idées changeantes en politique, surtout lorsqu'elles ne présentaient aucun danger pour sa sécurité. Cela ne lui coûtait rien d'adopter le point de vue de son interlocuteur. La confiance fragilise, et faire accroire à un naïf qu'on partage avec lui un point de vue ou un idéal, il n'existe rien de mieux pour le mettre en confiance. Toutefois il ne s'avançait pas, se contentait d'approuver de la tête, émettait ensuite une réserve. Ses propos n'étaient jamais nets. Chacune de ses phrases signifiait à la fois oui et non. Mis en accusation, il pouvait ainsi se défendre d'avoir pris tel parti, choisi son camp, mais ne se privait pas de mettre dans l'embarras ses rivaux en affaires, en rapportant leurs propos comme par inadvertance en présence d'une autorité politique qui les trouvait peu pertinents voire dangereux et hostiles au gouvernement. Ainsi, le pouvoir le considérait-il comme l'un de ses alliés les plus fidèles au sein de la bourgeoisie traditionnelle, et les mulâtres les plus virulents contre le "pouvoir noir", qui le croyaient un ami sûr, s'étonnaient de ne pas le compter parmi leurs compagnons de cellule lorsqu'un tribunal d'exception les condamnait aux travaux forcés et à la perte de leur nationalité.

Le colonel Pierre André Pierre prenait ses décisions sur un coup de tête ou un coup de cœur. C'était une brute épaisse inspirant la terreur, mais nul ne pouvait l'accuser d'agir en froid calculateur. La notion d'avenir échappait totalement à son entendement. L'avenir, c'était maintenant, et sa devise : Un "prends" vaut mieux que deux tu l'auras. Stratégies, prévisions et froids calculs mentaux, toutes ces ruses et singeries dont l'efficacité n'était pas garantie et qui misaient sur le long terme l'ennuyaient à mourir, et lui ne pensait jamais à la mort, ni même au lendemain. On ne vit pleinement que le présent. S'il avait préféré le travail de terrain à l'administration, ce n'était pas parce qu'il pensait comme la plupart des autres cadets que l'excellence dans l'exécution de missions difficiles et spectaculaires lui assurerait une promotion plus rapide, mais parce que les entraînements au corps à corps lui plaisaient plus que l'histoire militaire et les manuels de procédure. Il avait fait carrière dans l'improvisation et ignorait la veille ses désirs du lendemain, se contentant de savoir que quels que seraient ces désirs il trouverait le moyen de les satisfaire. Après tout, entre ses désirs et leur satisfaction, il n'y avait que des obstacles. D'origine paysanne et athlète de haut niveau, il savait y faire avec les haies. Il n'y a pas de demi-mesure. Pour se débarrasser des haies, on ne remet rien à demain, on les saute ou on les balaie.

L'homme d'affaires Robert Montès ne faisait rien sur un coup de tête, encore moins sur un coup de cœur. Il pouvait consacrer des années à la réalisation du plus petit de ses projets. Il préparait l'avenir et avait développé une telle maîtrise de son art qu'il parvenait à évaluer à une semaine, parfois à un jour près, le temps qu'il mettrait à atteindre un objectif : la ruine d'un concurrent, les faveurs d'une épouse en difficultés sentimentales et financières. Il avait une face d'ange et un physique plutôt quelconque qui n'inspirait pas la crainte. Son corps même était un mensonge, comme une enveloppe en gélatine qui n'avait pas de forme fixe, s'adaptait à chaque circonstance et le faisait passer aux yeux de ses futures victimes pour un ingénu sans aucune force de caractère. C'était un homme de tradition, au point qu'il lui arrivait d'en inventer pour combler les chaînons manquants d'une improbable filiation. Il possédait ce qu'il appelait son musée familial : une épée qui aurait appartenu à son grand-père paternel, un général qui n'avait jamais fait la guerre et sans mérite particulier, tout notable portant à l'époque le titre de général ; le haut-de-forme de son grand-père maternel, un sénateur du département de la Grande-Anse qui avait signé la capitulation et accueilli à bras ouverts l'occupation américaine et fréquenté les cercles réservés aux

Blancs, aux presque-Blancs, aux amis des Blancs, aux serviteurs des Blancs. S'ajoutaient à ces deux pièces quelques autres vieilleries dont la provenance ne pouvait être vérifiée mais pour lesquelles il avait obtenu des certificats d'authenticité délivrés par des amis notaires. Il ne jurait que par les membres de sa famille. Les morts dont il vantait les qualités. Les vivants : père, mère, oncles, tantes, cousins germains et éloignés, envers lesquels il avait contracté des dettes jamais remboursées, et qu'il avait conseillés et entraînés dans des investissements dont lui seul tirait profit. Ses parents et alliés en étaient ainsi réduits à dépendre de la maigre part des bénéfices qu'il consentait, après force négociations, à verser à ses coactionnaires. Il était officiellement de confession catholique. Il avait été scout et enfant de chœur, deux expériences auxquelles il faisait souvent référence pour établir la preuve par l'enfance de son engagement et de sa foi. Comme tout notable qui se respecte, il se faisait un devoir de ne pas rater les funérailles d'un des membres de sa caste. Il restait toutefois sur le parvis de l'église à bavarder avec des connaissances en leur rappelant sournoisement les défauts du défunt.

L'homme d'affaires Robert Montès jouissait d'une mémoire prodigieuse. Il n'oubliait rien, rangeait dans une case de son cerveau tout propos tenu devant lui et collectait à tout hasard le maximum d'informations sur les uns et les autres. Il savait non seulement quel propriétaire d'une petite entreprise, ayant du mal à payer ses traites à telle ou telle banque, était prêt à tout liquider ; quel fonctionnaire, épris d'une jeunette maline et dépensière, était mûr pour ses premiers pas dans le monde de la corruption ; mais aussi quel demi-frère, fils naturel, en voulait à tel demi-frère, enfant légitime, et consentirait à n'importe quelle alliance pour se venger de la condition de subalterne qu'il vivait au sein de sa famille. Il considérait la spontanéité comme un défaut de tempérament et collectait des renseignements sur toute personne qu'il rencontrait en se disant que cela lui serait sans doute utile un jour. Un savoir-faire dont il avait commencé à tirer profit depuis sa petite enfance. A l'école des curés, en section primaire, il s'était fait rédiger ses rédactions par un garçon timide mais doué pour les belles phrases, qui s'était laissé tripoter par le frère archange responsable de la chorale. Adolescent, il avait secrètement imposé une relation incestueuse à la plus belle de ses cousines qui avait, sacrilège impardonnable, accordé ses faveurs au jeune paysan musclé et quasi analphabète qui faisait office de gardien de nuit et laveur de voiture dans le domicile familial. En vieillissant, Robert Montès se bonifiait, et à vingt ans il connaissait toutes les techniques, les approches et les bons dosages qui faisaient la fortune et la tranquillité des spécialistes du chantage.

Le colonel Pierre André Pierre ne parlait jamais des autres. Ni de lui-même. Il ne leur parlait pas non plus. Sauf pour dicter un ordre, exiger quelque chose. Il ne partageait jamais de confidences, vraies ou fausses, avec qui que ce soit. Ne faisait pas de blagues. A l'académie, dans sa période de formation, il jouait au bésigue et aux dames chinoises avec ses camarades de promotion, se soumettait aux humiliations réservées au perdant, sans rien dire. De même, lorsqu'il gagnait, il ne laissait pas transparaître le moindre signe de joie en prononçant la sentence de son camarade malchanceux. Quand il perdait, il payait, et quand il gagnait, il exigeait d'être payé. Sans délai et sans émotion. Il ne comprenait rien aux plaintes. Pourtant, il lui arrivait de donner, et il ne regardait pas à la dépense. Le colonel Pierre André Pierre n'économisait que les mots. A la direction de la police politique, il conduisait lui-même les interrogatoires, efficace et impitoyable, mais une fois la séance terminée et les informations consignées, il les transférait à qui de droit et il oubliait jusqu'à l'existence du prisonnier. Il lui arrivait même d'interrompre un prisonnier que la torture rendait bavard pour lui indiquer qu'on ne lui en demandait pas tant, juste l'essentiel. Il n'avait retenu des cours de langue et de littérature qu'une phrase courte, proactive, d'un auteur dont il n'avait pas retenu le nom, l'origine du propos n'ajoutant rien à sa valeur : "Au fait, c'est ma devise." Jamais il n'avait ressenti le besoin d'évaluer les défauts ni les qualités des autres. Pourquoi s'acharner à discourir quand tous connaissent la loi de la jungle : chacun fait comme il peut. Pour assurer sa survie, il suffisait d'oser pouvoir plus que les autres et compter sur ses propres forces.

Le colonel Pierre André Pierre était noir, noir comme son père, noir comme sa mère, noir comme tous les membres de sa famille avant lui, des deux côtés de sa modeste lignée d'agriculteurs. Noir comme tous les habitants de la petite ville dans laquelle il avait pris naissance. Costaud et habile au corps à corps, il avait consacré sa jeunesse à casser la gueule aux grimauds* et aux mulâtres. Par principe. Pour l'exemple. A l'approche du carnaval, il multipliait les exercices de musculation. Son loisir favori consistait à descendre dans la foule dansant au passage du défilé, à choisir une jeune fille timide entraînée là par son petit ami mulâtre, à se frotter le sexe de manière ostentatoire contre le corps de la jeune fille jusqu'à provoquer une réaction de colère du chaperon auquel il administrait alors une telle correction que le teint du jeune homme de bonne famille passait du blanc au rouge et qu'il perdait toute envie de jouer les chevaliers servants. A la vérité, toute personne, toute chose pouvaient lui servir de cible. Il suffisait que cette personne ou cette chose se trouvât sur son chemin, alors qu'il était pressé de passer. Ses cibles variant

* Grimaud ("chabin" aux Antilles françaises) : désigne un individu de type afro-caribéen à la peau claire.

selon l'occasion, on ne pouvait donc l'accuser d'avoir une aversion envers X en particulier. Néanmoins, les mulâtres et les ânes constituaient des cibles privilégiées. Dans son enfance, il avait rendu fous les ânes de son village en leur mettant des mégots de cigarette dans l'oreille. Un conseil constitué des notables du village, houngan, prêtre, chef de section, instituteur, l'avait interrogé sur cette manie sans obtenir une réponse éclairante. Pourquoi ? Parce que. Parce que quoi ? Parce que. Jeune adulte, il appréciait surtout ses permissions pour l'occasion qu'elles lui présentaient de retourner à la campagne et de s'amuser avec les ânes. Il n'avait plus à ramasser les mégots jetés par les adultes. Il achetait lui-même des cigarettes américaines, qui se consumaient plus lentement que les marques locales et faisaient durer son plaisir.

L'homme d'affaires Robert Montès était né à la capitale, dans un quartier résidentiel – pas loin du carrefour dit des Trois-Bébés, mais en haut, la différence étant de taille entre le haut et le bas, le carrefour servant de ligne de séparation entre deux barreaux de l'échelle sociale –, dans une maison aux murs intérieurs décrépits, mais dont la devanture, à force de coups de pinceau et de replâtrage, pouvait encore donner le change et entretenir le mythe d'une aristocratie luxueuse. Sa mère ne laissait jamais s'achever une journée sans avoir prononcé au moins une fois les mots : "Nous autres, les mulâtres" au début d'une phrase dont la suite pouvait traiter de n'importe quel sujet. Il ne s'était jamais battu à mains nues, ni pour une jeune fille, ni pour un sac de billes, ni lorsqu'un condisciple énervé lui crachait au visage la longue histoire de mariages d'affaires et de prostitution déguisée qui permettait à sa famille de sauver les apparences et de jouer les riches alors qu'elle possédait en réalité plus d'argenterie et de souvenirs que de nourriture à se mettre sous la dent. Il préférait laisser la violence physique aux autres et gardait toujours le sourire. Il avait retenu de l'enseignement familial deux leçons essentielles : interdire à son visage de trahir sa pensée et ne jamais dire la vérité sur l'état de sa fortune. Adolescent, il aimait que les vrais riches avec lesquels il ne partageait que la couleur le croient aussi fortuné qu'eux, mais il n'avait aucune peine à s'appauvrir soudainement quand un ami sollicitait son aide. L'homme d'affaires Robert Montès ne souffrait pas d'un trop-plein d'amour-propre. Il ne se laissait pas atteindre par les insultes. Le sot orgueil des belliqueux les détourne de leurs projets et les propulse dans des situations imprévues et incontrôlées desquelles ils ne parviennent jamais à se tirer sans passer par de grandes souffrances. Il évitait toute vaine querelle et développait ses qualités. Il s'était découvert très tôt une vocation d'usurier et de courtier, qui lui assurait déjà un revenu alors qu'il était encore mineur. Réussite dont il se garda d'informer ses parents, et qui lui permit d'enrichir son carnet d'adresses de connaissances, arnaqueurs de tout poil qui, séduits par ses aptitudes, contribuèrent à sa formation, l'adoptèrent comme partenaire et associé, s'en mordirent ensuite les doigts quand il força un grand nombre d'entre eux à une retraite anticipée. Il avait été dans sa jeunesse un homme à femmes. Il avait appris par cœur des notions de base de botanique et de spiritisme, et pouvait au besoin passer pour un écologiste ou un mystique. Les jeunes filles cédaient facilement à ses avances, dans l'espérance d'un mariage qu'il ne promettait jamais formellement mais dont il laissait toujours entrevoir la possibilité. A la fin d'une histoire d'amour, candide, il se défendait des accusations d'escroquerie au mariage et d'abus de confiance en arguant qu'on ne pouvait le condamner sur quelque chose qui n'avait jamais passé le stade de la vulgaire hypothèse.

L'homme d'affaires Robert Montès avait épousé à vingt-cinq ans une jeune fille légèrement moins claire que lui mais beaucoup plus riche, ni trop laide ni trop jolie, ni ignorante ni trop instruite, ni trop classe ni sans manières, ni trop pieuse ni trop moderne, un peu rêveuse sans habiter la lune, dont les parents avaient cru faire une bonne affaire en consentant à ce mariage sans se douter que leur capital allait financer l'ascension de leur gendre au rang de la grande bourgeoisie. Durant toute leur vie de couple, son épouse sembla ignorer ses nombreuses passades : les bordels, les rendez-vous à la garçonnière de son ami le colonel, les visites nocturnes dans la chambre de bonne, ou ne pas s'en soucier. Le couple n'avait qu'un enfant, l'homme d'affaires ayant convaincu son épouse qu'en des temps difficiles l'éducation d'un enfant nécessitait beaucoup d'argent et toute l'attention d'une mère, d'autant qu'ils avaient été chanceux d'avoir eu un garçon, ce que, n'est-ce pas, chérie ? nous avons souhaité tous les deux, un garçon qui prendrait plus tard la succession des affaires familiales. Il ne discutait jamais avec son épouse. C'était une grande lectrice qui sortait rarement de ses lectures. Et, naïve ou désintéressée, elle gobait les mensonges qu'il lui déballait sur son emploi du temps avec une telle facilité qu'il se reprochait la minutie avec laquelle il les préparait. Quand, chose plutôt rare, elle lui faisait une question sur le monde des affaires, il lui accordait une réponse évasive dont elle se contentait sans pousser plus loin la conversation, se replongeant dans ses lectures. S'il jugeait que son épouse ne possédait pas les qualités qui en feraient une bonne partenaire, l'homme d'affaires Robert Montès souhaitait développer avec son fils une vraie complicité de mâles, lui transmettre un peu de son savoir afin de bien le préparer au dur métier de successeur. Non par amour, mais parce qu'une œuvre si savamment conçue et patiemment exécutée mérite d'être sauvegardée en mémoire de son créateur.

Le colonel Pierre André Pierre n'avait jamais contracté mariage. Une épouse aurait contrarié ses élans spontanés. Deux fois, il avait essayé le concubinage, mais ces expériences n'avaient pas été concluantes. Ses concubines avaient cru avoir des droits, s'étaient mises à construire des projets, l'interrogeaient sur ses fonctions. Il avait réagi violemment, elles en avaient gardé des marques sur le corps, et lui le sentiment que de passer ses soirées à taper sur la même femme pendant des années n'offrirait rien de passionnant et créerait un lien trop intime, comme dans la dialectique du maître et de l'esclave. Il se jugeait un homme simple, évitant les complications, et ne considérait d'ailleurs pas l'adhésion de sa partenaire comme une condition nécessaire à l'accomplissement de l'acte sexuel. La solitude lui convenait, sauf aux heures de besoins pressants.

Le colonel Pierre André Pierre n'était pas amateur d'art, en dehors de deux passions folles. Il adorait la pachanga et il avait suivi des cours de danse latine à domicile avec un instructeur particulier, et dès sa première leçon il se sentit prêt à affronter le public et commença à faire le tour des salles de danse, levant de leurs sièges un maximum de dames et de jeunes filles, mobilisant la piste pendant des heures, serrant ses partenaires successives contre lui et gardant son arme à sa ceinture. Il n'était pas mauvais danseur mais, son goût de l'improvisation l'emportant sur son sens de l'application, il travaillait des hanches plus que des pieds, et le couple semblait simuler l'acte sexuel sans vraiment suivre la musique. Son autre passion, c'était une collection de bandes dessinées d'une grande violence, *Tex Willer*, *Satanas*, qui constituaient ses seules lectures en dehors de celle des manuels militaires. Lorsqu'il faisait fonction d'instructeur à l'académie, il ajoutait des points aux cadets qui lui faisaient trouver les épisodes qui manquaient à sa collection.

Pierre André Pierre n'avait pas la patience des apprentis, cependant il avait bossé dur et réussi tous les examens de l'académie et passé tous les concours, parfois de justesse mais toujours en ne comptant que sur lui-même, compensant au besoin les lacunes de sa formation académique par ses qualités athlétiques. Robert Montès passait pour un bourgeois lettré doté d'une culture universelle. Il avait monnayé un diplôme dans une école de commerce privée que fréquentaient les fils de famille dont les parents ne savaient plus que faire, mais il lisait beaucoup de quatrièmes de couverture, tous genres confondus, de vieux numéros de *Science et vie* et du *Reader's Digest*, et pouvait tenir conversation dans les milieux mondains. Il était avare de tout sauf de bons mots, portait encore à cinquante ans des pantalons passés de mode depuis son entrée dans l'âge adulte, offrait à ses proches des cadeaux de fêtes de fin d'année si minables qu'ils en étaient morts de honte et s'empressaient de les cacher, faisait sans cesse la morale à son épouse et à son fils contre les folies dépensières qu'il leur soupçonnait. Robert Montès était contre le gaspillage, et tout ce qui ne servait pas à l'accumulation tenait pour lui du gaspillage.

Pierre André Pierre ne se refusait rien. Sa philosophie était simple : il prenait d'autorité ce qu'il lui fallait, un corps de femme, le bien des autres, et se débarrassait de ses conquêtes et de ses gains avec la même désinvolture.

Qu'est-ce qui avait rapproché deux personnages aussi différents, réuni deux parcours parallèles, scellé une amitié si forte qu'elle les avait conduits à construire deux maisons identiques dans un village côtier oublié de la carte ? Sur quoi reposait cette alliance affective qui avait porté l'homme d'affaires Robert Montès à faire du colonel Pierre André Pierre le parrain de son fils unique ? Qu'est-ce qui avait amené le colonel Pierre André Pierre à intervenir auprès du chef d'état-major de l'armée de terre pour faciliter le passage à la frontière des marchandises non déclarées par l'homme d'affaires Robert Montès ? Qu'est-ce qui faisait qu'ils passaient des soirées à boire, à rire et à discuter à leur table réservée au Relais du Champ-de-Mars, l'un ne buvant que du whisky écossais et l'autre du vin de Bordeaux ? Qu'est-ce qui les avait enfin portés à passer ensemble les mois de juin, de juillet et d'août dans la petite ville d'Anse-à-Fôleur, dans des maisons identiques dont la construction avait commencé le même jour, pris fin le même jour six mois plus tard, occupant leurs soirées à boire, rire et discuter, l'un ne buvant toujours que du whisky écossais, l'autre du vin de Bordeaux, comme à leur table réservée au Relais du Champ-de-Mars, l'intimité de leur conversation n'étant troublée que par les allées et venues de l'épouse et du fils unique de l'homme d'affaires ?

Le petit monsieur de la capitale avait patiemment accumulé les informations concernant les deux illustres disparus. Il croyait avoir trouvé le fondement de leur amitié. Je te cite encore son rapport : *Rien, mis à part la cruauté, ne pouvait justifier l'amitié qui lia jusque dans la mort le colonel Pierre André Pierre et l'homme d'affaires Robert Montès.*

Tu es réveillée ? Tu as dormi une heure. C'est fatigant, les longs voyages en pays inconnu. Avec pour seule compagnie un guide qui n'en finit pas de radoter. Tu souris. C'est bon signe. Cela veut dire que je ne fais pas si mal mon boulot. Quand je parviens à faire sourire un client, je suis content. Et toi, tu n'es pas tout à fait une cliente. A cause de ton père. Faire sourire les clients, ce n'est jamais gagné. Je parviens parfois à deviner les blagues qu'il faut tenter, l'attitude à adopter, pour que, se sentant supérieurs et en sécurité, ils se détendent. Mais il en est qui descendent de l'avion sur le pas de guerre et ne décolèrent pas durant tout leur séjour. Leurs baskets et leurs bermudas, les fleurs de leurs chemises sont juste un camouflage qui ne trompe qu'eux-mêmes. Ils arrivent avec des gueules de tout va mal depuis toujours, et surtout à l'occasion de ce voyage, de l'aéroport de départ avec les panneaux d'affichage non allumés jusqu'au taxi au coffre trop étroit et une partie des bagages qu'il faut placer sur le siège avant à la droite du chauffeur, ces rues pourries et leurs enfants qui tendent la main et s'accrochent aux portières – on dit "les enfants des rues" comme si les rues étaient leurs mères –, en passant par l'avion et le personnel de bord pas sympa, les trous d'air et l'horrible accent de l'hôtesse, l'aéroport d'arrivée, un vrai bordel et la trop longue attente pour récupérer les bagages. Et puis quelle idée, dit la femme, d'avoir choisi ce lieu où personne ne va pour des vacances en famille, on aurait sans doute été mieux ailleurs. Et devant le visage non convaincu de la femme qui, en bonne femme d'intérieur, pense à son intérieur qu'elle n'aime pas trop laisser, à ses nouvelles batteries de cuisine qui doivent se sentir bien seules, l'homme ajoute : Je devrai souvent venir ici pour les affaires, alors autant en profiter et s'habituer un peu. Je veux que Junior et toi vous compreniez un peu ce que je fais. Et devant le visage toujours pas convaincu de la femme qui pense maintenant au chat dont la voisine a promis de s'occuper, mais sait-on jamais, surtout avec le Junior des voisins qui, lui, est un vrai sauvage (on peut dire que ses parents ont échoué et qu'il causera de gros soucis) contrairement à leur Junior à eux qui est un garçon doux, sensible, tellement sensible que quelquefois il pleurniche pour un rien, l'homme, blessé dans son orgueil, accuse : Ce n'est quand même pas trop demander ! Et la femme conciliante, la tête toujours ailleurs, mais dans un autre ailleurs qui s'appelle l'adultère, les huissiers, le divorce, pensant maintenant, prudente et pragmatique, que mieux vaut ne pas trop le fâcher, les hommes quand ils se fâchent, ils vont vite voir ailleurs, un ailleurs qui a pour nom maîtresse, jeune, jolie et disponible, et c'est vrai après tout, plus je suis proche de lui et au courant de ce qu'il fait, plus notre intérieur sera en sécurité, s'adapte, s'accommode, s'adoucit, compatit : Non, chéri, ce n'est pas trop demander. Mais Junior n'a pas épousé son père, n'a signé aucune convention qui doit durer l'éternité. Il n'a signé aucun contrat qui l'oblige à être conciliant et à faire avec les maîtresses de son père, les humeurs de son père, les affaires de son père, les travaux domestiques, les exigences et lamentations d'un enfant à qui l'on foutrait des baffes s'il était le fils du voisin, la solitude et l'angoisse lorsque Senior part en voyage, l'impuissance et la capitulation quand Junior fait des siennes. Non, Junior n'est pas sa mère. Il n'a pas épousé son père et juré fidélité aux grandeurs et misères de sa condition de femme au foyer. Il n'a pas non plus épousé sa mère et la responsabilité de se faire le chantre de l'unité de la famille aux côtés d'une femme vieillissante qui parle, parle, parle, ne s'intéresse qu'à ses batteries de cuisine et aux chaînes de télé-achat et potins. Il n'a pas à jouer le grand chef rassembleur qui s'en va regarder ailleurs, le plus loin possible, autant de fois que possible, parce qu'aucun homme, les actualités le prouvent, même le président du pays le plus puissant du monde, ne peut tenir le même rôle vingt-quatre heures sur vingt-quatre. Junior n'a pas l'âge des compromis qui font des rides à ses parents. Et puis ça l'agace de voir qu'ils ont vite fait la paix en l'oubliant. Junior ne supporte pas qu'on l'oublie. Junior est né dans un cocon qui s'appelle Forget me not. Et Junior est instruit. Il sait que tout lui appartient, son père, sa mère, et le reste du monde. Cela a toujours été ainsi. Pourquoi faudrait-il que les choses changent ? Et Junior a chaud, il fait trop chaud ici. Et Junior qui a chaud, trop chaud, et juge que ses parents exagèrent et ne lui prêtent pas suffisamment d'attention, et qui n'a surtout pas besoin de savoir comment Senior gagne leur vie, demande une première fois, une deuxième fois, une troisième fois sur un ton de Forget me not : Quand est-ce que nous y serons, à l'hôtel ? J'ai faim. J'ai chaud. J'ai besoin de faire pipi, les toilettes n'étaient pas propres à l'aéroport. C'est sale, ici. Et la mère, oui, c'est sale. Et le père, surtout ne t'en va pas poser tes mains partout. Junior, Senior et Maman-conciliante partagent au moins une chose : le culte de l'hygiénisme. En dehors de ça, chacun vit dans son monde. Et ça fait trois paquets de nerfs sur le siège arrière de la voiture. Et les enfants des rues qui sont fatigués de vivre avec leurs mères, de marcher sur leurs mères, s'accrochent toujours aux portières, les pieds suspendus un instant, ne veulent pas lâcher, ne lâchent pas. Et Senior, Junior et Maman ont tous les trois la même pensée : Allez savoir comment ils font, c'est des singes ou des acrobates ! Et Junior trouve dans leur habileté un deuxième motif de colère. Lui ne pourrait jamais faire ça. Il suffit qu'il se mette à courir pour que Maman lui dise Mon chéri, tu vas te faire mal. Et la voiture qui avance lentement subit la loi de l'embouteillage. Et les enfants des rues, qui sont devenus des petits malins à force de fréquenter leurs mères, ont repéré Junior dans la voiture. Ils savent d'expérience que les couples qui voyagent avec des enfants, ils ont parfois mauvaise conscience, s'apitoient et donnent plus facilement que les jeunes mariés qui sont encore à l'âge où l'on n'aime que son partenaire. Mais Senior ne donne rien parce que donner, c'est encourager la mendicité, tu comprends, fiston, mais profite de l'occasion pour expliquer à Junior, tu ne réalises pas la chance que tu as de vivre dans une famille unie, ta mère et moi on s'aime, dans un pays démocratique, chez nous l'alternance est une institution, dans un univers qui te protège, ta mère et moi on t'aime, ta maîtresse t'aime, tes taties et tes tontons t'aiment, tes mamies et tes papis t'aiment, oui, tu n'as plus qu'un seul grand-père, l'autre est mort mais dans sa tombe, pardon, au ciel, il t'aime quand même, alors que, regarde, les enfants d'ici, ils n'ont rien, les pauvres, mets-toi à leur place. Et Junior qui ne comprend rien au prêche du paternel qui parle comme un démarcheur – d'ailleurs dans la vie il est démarcheur, et l'idée, c'est de pouvoir vendre le maximum de programmes et de technologie –, Junior qui ne veut pas se mettre à la place des autres et ne comprend pas pourquoi on lui demande soudain de réussir des choses qu'on ne lui a jamais enseignées. Son père, il lui a enseigné qu'il faut compter sur soi pour être compétitif. Sa maîtresse lui a enseigné qu'il faut compter sur soi pour être compétitif. La psy lui a enseigné qu'il doit s'exprimer pour se faire entendre. Le président, quand il s'adresse à la nation, dit que nous sommes une grande nation qui doit compter sur elle-même, mener une politique agressive pour être compétitive. Au nom de son père, de sa mère, de sa maîtresse, des psy, du président, de la nation, des médias, Junior veut qu'on l'entende et être compétitif. Pour l'instant il entre en compétition avec les préoccupations de ses parents qui refusent d'entendre qu'il a besoin de faire pipi, de manger, de voir la piscine de l'hôtel. Au nom de la démocratie et du droit de chacun à l'expression, Junior continue de se plaindre et de revendiquer. Mais il fait chaud. Et Senior se demande si c'était une bonne idée de voyager avec ces deux-là. Il aurait pu venir seul, travailler le jour à convaincre quelques crétins du ministère du Commerce d'acheter sa marchandise, et s'amuser le soir avec de belles négresses. Senior ne se pardonne pas son erreur de jugement et lance à Junior : Bon, ça va, tu m'agaces. On n'a pas tout ce qu'on veut tout de suite. Moi, j'ai attendu trois ans avant d'obtenir un poste de directeur du service des ventes, alors que je le méritais depuis longtemps. Sois un homme et tais-toi. Et Junior qui répète les mots que la maîtresse l'a aidé à mémoriser en cas de difficulté avec un adulte qui l'approcherait de trop près, toucherait ses parties génitales ou le menacerait de coups : Je suis un enfant et les enfants ont des droits, les enfants, c'est sacré. Et Senior, dont l'affaire en cours n'est pas encore conclue, qui a besoin de sérénité pour choisir dans sa tête les mots qui convaincront ses potentiels clients que la technologie qu'il vend sera utile à tous ici, au gouvernement, au secteur des affaires, même aux enfants des rues, a envie de foutre une claque à Junior et lui ordonne de la boucler. Et Maman-conciliante veut éviter l'orage, mal à l'aise entre Senior et Junior, les fesses raides sur le siège arrière de la voiture, adopte le flash-back, retourne à son programme préféré chercher dans le petit manuel d'arbitrage des conflits familiaux à l'usage des femmes la recette applicable à la situation, prend à cœur son rôle de pédagogue travaillant à domicile au service exclusif des deux hommes de sa vie, veut faire la part des choses, cher Junior, cher Senior, ne vous battez pas s'il vous plaît, se tourne sur sa droite et explique à Junior : Ton père essaye de te faire comprendre que… se tourne sur sa gauche et rappelle à Senior que… Ton fils est impatient comme tous les gamins de son âge, avec le temps… Mais Junior n'écoute pas, rouspète, tempête : J'ai faim, j'ai besoin de faire pipi, quand est-ce qu'on arrive à l'hôtel ? Et Senior qui juge l'arbitrage truqué et se tourne vers Maman-conciliante qu'il trouve en fin de compte pas si conciliante que ça : Je connais la chanson, quand il fait chier c'est "ton fils". Moi, je fais ce que je peux, j'affronte le monde difficile des affaires, c'est à toi d'en faire un homme. Et Junior est content que Maman-conciliante se fasse rabrouer. Sans être un enfant des rues lui aussi est un petit malin qui connaît bien l'adage : Diviser pour régner. Il veut mettre Maman-conciliante de son côté et s'adresse désormais à elle seule avec la voix plaintive qu'il avait lorsqu'il s'était cassé le bras en jouant à la balle avec le Junior des voisins : MAMAN, Papa ne veut pas me dire quand est-ce que nous arriverons à l'hôtel, MAMAN, j'ai faim, MAMAN, j'ai envie de faire pipi, MAMAN, je... Et Senior, c'est ta faute s'il est ainsi... Et Maman-conciliante maintenant Maman-désespérée, Maman-je-n'en-peux-plus, perd sa foi dans les clichés sur le contrôle parental, les recettes de la vie en couple et la psychologie infantile, s'avoue vaincue et s'enferme dans le silence. Et l'atmosphère lourde, plus lourde que les bagages que je n'ai pas pu tous ranger dans le coffre vu qu'il y en a tellement. Et moi qui souris en regardant dans le rétroviseur. Et Senior : *Could you please look at the road and drive carefully ?* Et moi, *Yes sir*, qui ravale mon sourire, et conduis *very carefully* en me disant qu'il y a des gens qui supportent pas le sourire sur la gueule des autres.

Tu souris ? C'est mon histoire qui te fait sourire ? J'en ai plein des comme ça, depuis le temps que je fais ce métier. J'en ai promené, des visiteurs, aux quatre coins de ce pays. De tous ceux que j'ai rencontrés, tu es la seule qui soit venue ici chercher autre chose que du pouvoir et des loisirs. Ton grand-père souriait tout le temps, mais ce n'était pas un vrai sourire. Juste une devanture. Il y avait quelque chose en dessous qui n'invitait pas au partage. Son ami le colonel, c'était tout le contraire. Il ne souriait jamais. Il ne haussait jamais les sourcils, n'élevait jamais la voix, ne témoignait jamais de la moindre émotion. Pourtant il avait procédé à l'arrestation de dizaines de jeunes gens, commandé des pelotons. Quant à sa vie civile, à la capitale, quand on évoque les exactions et les tortures en vogue durant les années noires, son nom revient souvent. Dans le fond, ils se ressemblaient : un sourire immobile et une face plâtrée, indifférente aux sentiments. Moi j'aime bien la complicité et l'affection qu'on peut mettre dans un sourire. Et les routes quand le jour meurt et qu'on commence à voyager dans la nuit. Sur la route, au crépuscule, on avance vers l'ombre, et chaque minute est comme un pas de plus dans un vaste domaine qu'on n'aura jamais fini d'arpenter. La nuit est le plus vaste des territoires. Chaque matin, on laisse ce territoire pour en habiter un autre qui n'offre pas les mêmes richesses. Chaque soir, au coucher du soleil, on y entre de nouveau. La plupart des gens s'accommodent d'une géographie réduite et se contentent de passer leur vie à marcher ou dormir dans une toute petite part de nuit. Quelques-uns s'efforcent d'aller vers des coins ou de grands espaces qu'ils n'avaient jamais visités auparavant. Comme Solène. Elle connaît tous les coins du village, toutes les rues et tous les sentiers, tous les détours qui mènent à la mer, toutes les clairières et tous les buissons, mais elle continue de marcher dans la nuit vers d'autres découvertes. Enfant, elle le faisait déjà. Les habitants du village savaient qu'il ne fallait pas la déranger. Depuis la mort de sa mère, jusqu'au moment de la disparition de ton grand-père et de son ami le colonel, elle sortait tous les soirs. Parfois elle ne rentrait qu'au matin. Elle est sortie le soir de l'incendie. Elle est revenue en souriant en nous disant à mon oncle et à moi qu'elle n'était jamais allée aussi loin. Elle a aussi dit à mon oncle que jamais, même en joignant leurs forces, ils ne parviendraient à réparer l'irréparable, à redonner vie au passé. A défaut, ils avaient commencé une œuvre qui valait la peine. Je ne comprenais pas le sens de ses mots. Puis ils m'ont expliqué. Et j'ai vu. Cette nuit-là j'ai compris que, puisque le bon Dieu n'existe pas, il est des hommes qui, sans se prendre pour lui, essayent de faire des choses bien, à leur mesure, en fouillant dans le peu que la nature leur a donné pour accompagner les rêves des autres. C'est mon oncle qui a inventé ce mot d'"aide-bonheur". Il m'a dit : Ça t'irait bien, à toi qui gagnes ta vie à conduire les autres là où ils veulent. Je dois avouer que je ne le suis pas toujours dans cette voie. Lui, c'est comme s'il n'avait jamais besoin de rien. Avant chacune de mes visites, je lui fais passer le message : Que veux-tu que je t'apporte ? Et c'est toujours la même réponse : Rien. Alors je lui apporte malgré tout des choses bêtes comme des chapeaux ou des pots de beurre d'arachide et des piles pour sa radio. Il me gronde en me rappelant qu'il ne consomme plus le beurre d'arachide depuis longtemps, qu'il ne l'a jamais vraiment aimé. Ma mère avait des réflexes de sœur aînée, et elle avait décidé depuis leur enfance que le beurre d'arachide était la nourriture préférée de son petit frère parce qu'il avait dévoré la moitié d'un pot un soir qu'il avait faim et qu'il ne trouvait rien d'autre à se mettre sous la dent dans leur petite maison de la rue des Fronts-Forts. De la mort de mes grands-parents jusqu'à son décès à elle, de la petite maison de la rue des Fronts-Forts au trois-pièces de la rue des Miracles que mon oncle avait loué avec l'argent de ses premières ventes, ma mère l'a nourri au beurre d'arachide. Et moi je continue de lui en apporter. Il a beau répéter qu'il n'en consomme plus, je lui en apporte. Pour les chapeaux et les piles, c'est pareil, même s'il me rappelle qu'il n'a qu'une tête et qu'il écoute rarement la radio, sauf les soirs où il a besoin de la musique du monde. J'en ai un dans la voiture. Je les choisis toujours très beaux. Il les offre aux gens du village. Peut-être t'offrira-t-il celui qui est empaqueté dans le coffre à côté de ton bagage. Pardon ? Tu veux que j'arrête la voiture ? Non, ici, sur les routes, il n'y a ni dépanneurs ni toilettes. Faudra faire avec le bord de la route. Je te cacherai avec la voiture. Et je te promets de ne pas regarder.

Le cadet Pierre André Pierre et l'étudiant de l'école de commerce Robert Montès se rencontrèrent sous un porche une nuit d'averse, à l'heure de fermeture du bordel de la rue Saint-Honoré. On disait "le" bordel de la rue Saint-Honoré. Ce n'était pas le quartier idéal pour ce genre de commerce. Et l'on se demandait pourquoi son propriétaire avait eu l'idée de le placer dans une rue poussiéreuse, investie le jour par des garagistes sans formation, des commerces de détail spécialisés dans la vente de rejets, la nuit par des éclopés, des ivrognes et quelques grands mystiques qui venaient y pratiquer des exorcismes et des interpellations. Le bordel de la rue Saint-Honoré souffrait d'un déficit de visibilité et n'attirait qu'une clientèle qui ne pouvait aller ailleurs. Ce n'était pas un immeuble de luxe, comme ceux qu'abritait en ce temps-là Carrefour, avec de nouveaux arrivages de femmes tous les mois, des pistes dignes d'un grand night-club, des juke-box riches de classiques et de nouveautés, des chambres aérées, équipées de draps propres et de ventilateurs, avec des aquarelles et des images travaillées de Notre-Dame du Perpétuel Secours accrochées aux murs. C'était une bâtisse fatiguée, penchée, une presque-ruine. La piste ne pouvait accueillir que trois couples et la musique qu'on y dansait se limitait à quelques vieux disques rayés. L'escalier qui conduisait à l'étage débouchait sur un couloir sombre sentant la naphtaline. Les chambres se fermaient de l'intérieur par des targettes rouillées, n'offraient pour toute décoration que des photos jaunies de magazines de mode vieilles d'un quart de siècle. Les cloisons en contreplaqué respiraient le miasme et l'humidité. Les ébréchures que le temps avait creusées dans ces cloisons interdisaient toute discrétion. Des rats visitaient parfois les chambres, leur passage troublait les ébats des émotifs et des novices. Les femmes descendaient alors en sous-vêtements pour s'en prendre au gérant qui serait privé de sexe pendant longtemps s'il était incapable de poser des pièges qui fonctionnent. Les fenêtres donnaient sur la route des rails et offraient aux clients le paysage des mendiants et des carcasses de voitures qui avaient pris logement sur les restes rouillés de l'ancien chemin de fer. Les femmes avaient pour la plupart atteint depuis longtemps l'âge de la retraite, et les tarifs qu'on y pratiquait étaient largement en dessous de la moyenne. Les clients avertis veillaient à ne pas s'y laisser surprendre par la pluie. A la première averse, le bas de la ville se transformait en un marécage peuplé de petits monticules constitués par les objets trop lourds, ustensiles, bûches et barres de fer que le torrent ne parvenait pas à emporter. L'eau arrivait aux genoux d'un homme de taille moyenne, et il fallait, en plus de marcher dans la vase, exécuter des pirouettes d'acrobate pour passer les obstacles.

Au bordel de la rue Saint-Honoré, les femmes ne s'appelaient plus Muneca, Nina ou Estrellita, mais Mamasita, Yesterday, Messaline. C'était le no man's land où tarés et fauchés s'en allaient faire l'amour avec des fins de carrière. Artistes sur le déclin, ces dames du temps jadis consentaient à des labeurs et à des conditions que les vedettes tenant le haut de l'affiche n'auraient pas acceptés. Le cadet Pierre André Pierre appréciait la résilience des travailleuses du bordel qui le laissaient faire sans poser de questions, se soumettaient à ses jeux, dansaient la pachanga sur des airs de salsa et de musique des îles. Quand, exception qui confirme la règle, l'une d'entre elles osait protester, elle en payait doublement les frais. A la violence des coups administrés par le cadet s'ajoutaient l'humiliation de ne pas être soutenue par le patron et l'amende que la direction lui imposait à cause du scandale qu'elle avait provoqué dans l'établissement. Robert Montès, étudiant de l'école de commerce, n'appréciait guère les travailleuses du bordel. Elles ne sentaient pas l'odeur forte des domestiques qu'il avait obligées à le déniaiser sous menace de les accuser de vol et de négligence. Elles n'avaient pas non plus l'élégance des jeunes filles de son milieu. Mais il était parfois fatigué de multiplier les astuces, les promesses pour un moment de plaisir avec une de ces filles de la haute, et, selon ses calculs, s'il n'alternait pas bourgeoises et prostituées, ses aventures sexuelles grèveraient bientôt son budget. L'étudiant Robert Montès conduisait une gestion stricte de ses avoirs, prévoyait pour chacune de ses dépenses un montant maximum qu'il ne dépassait sous aucun prétexte. En fréquentant le bordel de la route des rails, il parvenait même à réaliser des économies sur ses prévisions tout en satisfaisant son appétit sexuel.

Lorsqu'ils se rencontrèrent sous le porche de ce bordel infamant de la route des rails, le cadet Pierre André Pierre buvait encore le rhum national et les alcools des pauvres, et l'étudiant Robert Montès pouvait passer une soirée entière à déguster un unique verre de vin. Ni l'un ni l'autre ne possédait de voiture. Le cadet comptait remonter à pied jusqu'à son académie. Il aimait faire de l'exercice après ses parties de plaisir. Peu doué pour les efforts physiques mais de tempérament économe, l'étudiant de l'école de commerce avait prévu de prendre un taxi jusqu'au carrefour dit des Trois-Bébés, une course raisonnable, et de poursuivre à pied jusqu'à la résidence familiale. Après s'être dévisagés longtemps sans échanger un mot, ils décidèrent de faire alliance contre le mauvais sort et réveillèrent le gérant du bordel auquel le cadet Pierre André Pierre administra une paire de gifles pour avoir tardé à leur ouvrir. Pour consoler le gérant, l'étudiant de l'école de commerce lui promit une compensation qu'il recevrait à leur prochaine visite. Les prostituées prirent peur et s'enfermèrent dans leurs chambres. Mais les jeunes gens en avaient fini ce soir-là avec les femmes, ils se déshabillèrent devant le comptoir vide du bar, accrochèrent leurs vêtements mouillés aux barreaux des chaises, s'installèrent à une table, se présentèrent l'un à l'autre, se reconnurent dans leur nudité, et attendirent le jour. Le gérant du bordel ne reçut jamais la prime de consolation promise par l'étudiant de l'école de commerce. Les deux jeunes gens ne remirent jamais plus les pieds au bordel de la rue Saint-Honoré. Le lendemain, ils prirent une table au Relais du Champ-de-Mars, et demandèrent qu'elle leur soit désormais réservée tous les mercredis soir. C'était une sorte de contrat à durée indéterminée. Le propriétaire toucha rarement son dû. Au fil des ans l'étudiant devenu l'un des hommes d'affaires les plus puissants du pays et le cadet devenu colonel de l'armée avaient accumulé une dette incalculable envers l'institution. Le premier signait par principe une ardoise qu'il ne réglerait jamais, le deuxième ayant, sur le conseil de son ami, fait arrêter le restaurateur un matin pour complot contre la sûreté de l'Etat et l'ayant lui-même libéré au bout de vingt-quatre heures en lui faisant savoir que dans des situations difficiles il pourrait toujours compter sur son aide.

Nul ne fut témoin de la conversation que le cadet Pierre André Pierre et l'étudiant de l'école de commerce Robert Montès eurent en cette nuit d'averse dans la salle de danse du bordel infamant de la route des rails. Ni les vieilles prostituées rendues insomniaques par les rhumatismes et les maladies pulmonaires, qui n'osèrent pas descendre pour boire un verre d'eau fraîche. Ni le gérant, qui ne toucha jamais la compensation promise, les deux jeunes gens n'ayant plus jamais remis les pieds dans le bordel crasseux de la rue Saint-Honoré qu'ils ne laissèrent qu'à l'aube, l'averse ayant duré toute la nuit. Mais on peut imaginer que s'étant vus et reconnus tels qu'en eux-mêmes, ils ne jugèrent ni utile ni efficace de se mentir. Pour la première fois, Pierre André Pierre rencontrait dans la vraie vie un antihéros aussi impitoyable et rusé que les personnages des bandes dessinées interdites aux mineurs qu'il avait admirés dans son adolescence. Robert Montès estimait quant à lui que ce spécialiste du raccourci détenait une force hors du commun, qui ne s'embarrassait pas de jugements de valeur. Il n'était point besoin de lui donner la comédie. Les soirées qu'il passait en la compagnie de son nouvel ami constituaient ses seules vraies vacances, la seule occasion qu'il avait de faire l'économie d'un masque. Dans un premier temps, en dehors de leur rendez-vous hebdomadaire, les deux jeunes gens continuèrent leur ascension sociale sans renforcer leur lien. Mais plus ils progressaient dans leurs façons d'être respectives, se bonifiaient avec le temps, plus ils ressentirent ce besoin de complicité, comme les partenaires qui forment un vieux couple se transforment au fil des ans en une seule entité. Quand Robert Montès décida qu'il était temps pour lui de contracter mariage, la première personne qu'il informa de sa décision, ce fut le lieutenant Pierre André Pierre qui ne se formalisa guère de n'avoir pas été désigné comme premier témoin. Le lieutenant assista aux noces en uniforme, offrit à la jeune épouse une collection des plus beaux opéras de l'histoire et glissa le double de la clé de sa garçonnière dans la poche du jeune époux. Cinq ans plus tard, quand il mit sa femme enceinte pour disposer de plus de liberté de mouvement, le vice-président du conseil de la société Montès et Montès provoqua un choc chez ses amis mulâtres en faisant choix du major Pierre pour conduire l'enfant à naître sur les fonts baptismaux. Dix ans plus tard le colonel Pierre André Pierre et l'homme d'affaires Robert Montès firent appel à un architecte fraîchement revenu de l'étranger et lui demandèrent des plans pour deux maisons jumelles pour leurs vacances et leurs vieux jours. L'architecte réclama le plan d'arpentage du terrain pour pouvoir travailler dans les règles de l'art. Ils lui répondirent qu'il n'avait qu'à leur dessiner la maison idéale. Ils s'occuperaient plus tard de lui trouver un emplacement. Ils mirent encore quelques années avant de se décider sur l'endroit idéal. L'homme d'affaires Robert Montès fit appel à quelques courtiers, le colonel fit appel aux services du ministère de l'Intérieur et des Collectivités territoriales. Ils visitèrent plusieurs villages, des plages sauvages, arrêtèrent leur choix sur le vieux bourg d'Anse-à-Fôleur. Chacun des deux restant fidèle à lui-même, le colonel fonda son choix sur un élan spontané, l'homme d'affaires pesa les avantages et les désavantages, interrogea les uns et les autres sur l'histoire du lieu, et conclut que c'était bien le meilleur emplacement pour ériger leurs maisons sœurs. L'homme d'affaires utilisa les réseaux de la contrebande pour faire venir les lustres, les portes et les vitres. Le colonel rouvrit d'autorité les carrières de sable interdites à l'exploitation, délégua des aides de camp munis de réquisitions auprès des quincailliers. Ils amenèrent des ouvriers de la capitale. Et un matin les résidents du village côtier d'Anse-à-Fôleur virent arriver l'homme d'affaires avec sa famille et une domestique, le colonel avec ses médailles de retraité et les appareils de sa salle de sport. Le chef de section trouva ce matin-là un goût amer au café de sa concubine. Il en oublia presque de l'embrasser. Il prit son courage à deux mains et s'en alla frapper timidement à la porte du colonel. Se tenant droit et n'osant pas entrer, il se perdit dans les phrases qu'il avait préparées dans sa tête en guise de propos de bienvenue. Le colonel se contenta de lui répondre qu'ils avaient tout ce qu'il leur fallait. L'homme d'affaires Robert Montès l'interrogea sur le profil des habitants et la vie du village, conseilla ensuite à son ami le colonel d'avoir l'œil sur Justin. Un législateur, même bénévole, surtout bénévole, pouvant constituer une source de problèmes.

Nous y serons dans une heure. Si tu le veux, avant d'aller t'installer dans la chambre d'hôtes de mon oncle, nous ferons un arrêt chez Justin. Il habite l'entrée du village. Ce n'est pas exactement un passage obligé. Ce n'est pas comme une douane, un péage ou un poste de frontière. On appelle le coin d'ombre où il a construit sa maisonnette : La Belle Entrée. On y voit bien les étoiles. Justin, il a le don de mettre les gens à leur aise. Une tisane, une chaise, et la plus simple des formules de bienvenue : De quoi parlions-nous ? Et tu pourras continuer avec lui ta conversation avec toi-même, comme si tu avais rencontré sur ta route un passant acceptant de faire un bout de chemin avec toi. Comme ça. Pour toi. Et qui te paye un verre, en plus. Sans que cela te donne la moindre obligation envers lui. Tu pourras répondre : De rien. Je n'ai pas envie de parler, et il ne t'en tiendra pas rigueur. Tu pourras aussi parler de ton père. De ta vie. De tes amours. Répéter les mots de ta lettre : *"Ce n'est pas un asile que je cherche. Je veux mieux comprendre et connaître ce qu'a laissé ou fui cet homme qui fut mon père. Je l'ai si peu connu, lui. Il avait une santé fragile, et il nous a quittés très tôt. J'étais une enfant. Je sais par ma mère qu'il ne parlait jamais de son pays d'origine. Sauf une fois. Il avait mentionné un lieu : Anse-à-Fôleur. J'ai appris, par mes recherches, que mon grand-père, Robert Montès, est décédé à Anse-à-Fôleur. J'ai essayé en vain d'entrer en contact avec des membres de sa famille. Je n'ai jamais eu de réponse. Alors j'ai décidé de venir vers cet inconnu. Je manque de mémoire, et j'aimerais remplir mes blancs, sans savoir si vous pouvez vraiment m'aider. Peut-être ne ferai-je que vous déranger. Et je ne voudrais pas vous imposer une présence désagréable ni vous importuner avec mes questions. La seule information que j'ai pu trouver sur Anse-à-Fôleur, c'est qu'y réside le peintre Frantz Jacob, un maître qui a abandonné le portrait pour se spécialiser dans le paysage depuis qu'il s'est retiré de la vie mondaine et des milieux artistiques de la capitale. Voilà pourquoi je vous écris à vous."* Ta lettre est adressée à mon oncle. C'est vrai qu'il est la seule vedette qui habite le village. Il reste encore quelques prétendus connaisseurs qui s'empressent d'acheter tout ce qui porte sa signature en croyant faire de bonnes affaires. Ils pensent que ce sont des toiles peintes depuis longtemps qu'il avait choisi de cacher. Sentant venir la fin, il aurait décidé de les mettre en circulation. Qu'ils gardent leurs illusions, cela nous assure un revenu et un brin de notoriété. Sans mon oncle, nous ne recevrions jamais de courrier postal. Ce sera la foule, lorsqu'il mourra. Bientôt. A mon avis, il n'en a plus que pour quelques semaines, voire quelques jours. C'est un peu notre porte-parole ou notre marchand d'images. Habitons-nous des lieux ou des images ? Tu lui as écrit, mais ton interlocuteur, c'est eux tous du village. Nous tous. Je me mets dedans, vu que je suis un peu des leurs. J'entre et je sors, comme un agent de liaison. Mais que tu restes ou que tu repartes, une fois que t'as passé l'entrée, c'est chez toi. Tu entres dans l'image et vous faites encore corps même lorsque tu t'en vas. Les soirs où je manque d'inspiration pour mettre des couleurs sur les toits de mes villes imaginées, je vais prendre une bière au *bar à trois* du petit monsieur de la capitale. Il n'oublie jamais de s'informer de la vie au pays. Comment vont ses partenaires de jeu qui sont maintenant des adultes ? Le petit gaucher qui courait plus vite que les autres est devenu un robuste pêcheur. Et cette gamine qui lui apportait la soupe du matin ? Elle a trois enfants, deux garçons et une petite fille qui lui ressemble comme deux gouttes d'eau. Et ton oncle ? Mon oncle, je ne lui dis pas qu'il va bientôt mourir. Souvent, j'invente. Pour ne pas le décevoir. Depuis, il y en a beaucoup qui sont morts. D'autres qui sont partis. Mais je préfère ne lui donner que de bonnes nouvelles. Qu'importe qu'elles soient fausses. Pourquoi lui enlever son pays ? Il dit : le pays. Comme s'il s'agissait de sa ville natale. Pourtant il y est allé une seule fois dans les conditions que je t'ai rapportées, et il n'y est jamais retourné. Il faut croire qu'il est des lieux qui restent en toi, qui t'habitent pour toujours, une fois que tu y as mis les pieds. Et Justin, c'est l'entrée du village. Ton père allait parfois chez lui. C'était la seule personne du village avec laquelle il s'était lié. Si on peut appeler ça des liens. Il allait chez Justin, et tous les deux restaient longtemps assis sans rien dire à regarder la mer ou à regarder à l'intérieur d'eux-mêmes, ou à ne rien regarder. Qu'est-ce que j'en sais ? Ce que je sais, c'est que l'année de leur décès, ton grand-père et le colonel étaient particulièrement remontés contre Justin. Ton père, sans parler, il avait apporté de la capitale et jeté à la mer tous les cadeaux que son parrain lui avait offerts depuis la petite enfance. Plusieurs cartons. Une caisse de bois. Rien que des armes. Des petits soldats aux uniformes de toutes les grandes armées du monde. Un char assez grand pour qu'un enfant puisse y prendre place, avec des boutons de commande à l'intérieur, une mitrailleuse sur l'extérieur. Un bel engin de guerre, juste en plus petit que les vrais. Et un vrai fusil de chasse, cadeau d'anniversaire pour sa quinzième année. Le colonel disait : Si à quinze ans, on n'est pas déjà un homme, on ne le sera jamais. Ton père, il a traîné seul les cartons et la caisse, son fusil de chasse en bandoulière. Il a tout posé dans la barque de Justin, le vrai fusil et les vraies cartouches, les mille et une imitations, il a ramé aussi loin qu'un homme seul pouvait ramer, et il a déversé le contenu dans la mer. Adieu le fusil de chasse avec lequel il s'était entraîné au tir sous la supervision de son parrain. Adieu casques, cartouches et fusils-mitrailleurs. Une belle collection. Le colonel, contrairement à ton grand-père qui trouvait tout trop cher, il ne regardait pas à la dépense. Simples soldats, hauts gradés de tous les corps d'armée, fusils d'assaut, miniatures de destroyers et de bombardiers, sabres, grenades, tenues de camouflage. Tout y était. Un superbe arsenal pour habituer l'enfance à l'art du commandement. Petit soldat deviendra grand, alors autant s'y prendre tôt. Ton père, Robert Montès junior, il a pris seul sa décision sans en parler à qui que ce soit. Ton grand-père et le colonel lui cherchaient un complice. Ils ne lui reconnaissaient même pas le droit d'agir seul. Ils sont allés chez le chef de section lui ordonner de procéder à l'arrestation de Justin. Le brave homme bafouillait. Il avait reçu sa charge en héritage dans un lieu qui se passait de conflits. Il n'avait jamais arrêté qui que ce soit. Il existait entre sa concubine et lui une convention tacite : Tu n'arrêteras pas ton voisin. Tout changement à cet ordre provoquerait la séparation. Déjà qu'elle lui lavait tous ses vêtements sauf son uniforme. Il ne souhaitait pas changer de vie. Il se plaisait bien, mieux, il était heureux, avec sa concubine. Avant de s'endormir, ils partageaient des contes, des devinettes et des maximes, et devenaient ainsi les enfants qu'ils n'avaient pas eus. A tout considérer, bafouillant toujours, il préférait perdre son poste plutôt que de perdre sa concubine. Et pourquoi voudrait-il procéder à l'arrestation d'un homme qui n'avait jamais tué un lézard ni fait autre chose dans sa vie qu'écrire des lois qu'il n'imposait pas, recevoir des amis, recevoir tout le monde en ami et exercer son métier de pêcheur ? Et où donc l'enfermerait-il dans une localité sans cachots ni cellules ? Et comment empêcherait-il le village de lui apporter du pain, du rire, du chocolat, des sardes roses et du gâteau de maïs ? Sans hausser la voix, le colonel a annoncé au chef de section qu'en effet celui-ci perdrait son emploi étant donné qu'un homme qui ne comprend rien à l'exercice du pouvoir et qui est en plus dépourvu de tout esprit d'initiative ne mérite pas d'occuper une fonction qui appelle à l'action et aux décisions fermes. En attendant il allait les accompagner chez Justin avec une pelle et du ciment. Ils trouveraient du sable, de l'eau et une cuvette en fer-blanc sur place pour faire ce qu'ils avaient à faire. Sous la menace de l'arme du colonel, le chef de section les a suivis avec les accessoires qu'ils avaient exigés. A leur arrivée chez Justin, le colonel a attrapé le suspect par le collet, il l'a jeté sur le sol, il a mis son pied sur son cou, et il a demandé au chef de section d'aller chercher une cuvette en fer-blanc. Le colonel a relevé Justin, ils sont tous sortis et ils ont marché vers la barque. Ils ont placé la cuvette au centre de la barque et le colonel a forcé Justin à se tenir debout les pieds bien droits dans la cuvette. Puis il a ordonné au chef de section de verser de l'eau, du sable et le ciment qu'il avait apporté dans la cuvette, de bien remuer le tout avec la pelle. Justin avait les pieds trempés jusqu'aux chevilles. Les autres se sont assis dans la barque et ils ont attendu que le béton sèche. Le temps de l'attente, ton grand-père en a profité pour rédiger une reconnaissance de dettes d'un montant forfaitaire correspondant à son évaluation du prix des objets perdus et aux dommages moraux subis par la famille Montès. Justin a signé. Le colonel lui a ensuite passé autour du cou la corde qui attachait d'ordinaire la barque au repos à une pierre, et il a ordonné au chef de section de ramer. Ils sont allés là où un homme de taille normale ne pouvait plus avoir pied, encore plus loin, au-delà des limites habituelles des pêcheurs. Ils ont arrêté la barque, et le colonel a dit à Justin qu'il le jetterait dans l'eau avec ses pieds coulés dans le béton s'il ne lui révélait pas les motifs qui l'avaient poussé à conseiller à son filleul de se débarrasser des cadeaux qu'il lui avait offerts. Ton grand-père a ajouté que, passe encore sa mauvaise influence sur son fils, chose qui pouvait être réparée par une somme d'argent substantielle, le colonel le jetterait certainement à l'eau avec ses pieds coulés dans le béton s'il ne leur révélait l'emplacement de la jarre. Quelle jarre ? La jarre enfouie par les flibustiers quelque part dans ce village de merde il y a plus de deux cents ans ! Pourquoi, toi qui joues au savant sans avoir rien appris, crois-tu qu'on avait affublé ce lieu maudit du nom d'Anse-à-Fôleur ? Parce que les flibustiers y cachaient leur butin, parmi le lot cette jarre dont l'existence est confirmée par un grand nombre de chroniqueurs. Le chef de section a voulu venir au secours de Justin et crié qu'il n'y avait pas de jarre, que s'il en existait une, personne au village n'en connaissait l'emplacement, qu'ils vivaient du poisson : pêchaient du poisson, mangeaient du poisson, vendaient du poisson pour s'acheter le peu de choses qu'ils possédaient, et ne connaissaient rien aux monnaies d'autrefois, à l'histoire coloniale, aux cartes, ni aux fouilles. Le colonel a flanqué une gifle au chef de section en l'avertissant que s'il prenait la défense du suspect, il serait lui-même considéré comme un ennemi de l'ordre et une menace pour la sûreté de l'Etat. Le chef de section a ravalé son crachat et, malgré lui, il a aidé le colonel à soulever la cuvette dans laquelle le philosophe législateur ne pouvait plus bouger ses pieds coulés dans le béton pour jeter l'ensemble à la mer. C'est alors qu'ils ont aperçu le village entier, les hommes et les femmes, les adultes et les enfants, tous, moins celles et ceux qu'un handicap majeur empêchait de marcher, debout sur la plage. Chacun tenait une bougie et tous chantaient un air dont les occupants de la barque ne captaient que des fragments. Ils chantaient : Celui qui frappe un chien doit s'attendre à faire face à la justice de son maître ; s'il est vrai que jamais le giraumont ne donne naissance à la calebasse, il ne faut jamais dire jamais, cela peut arriver qu'une source prenne naissance au pied de l'arbre sec ; et enfin celui à qui on n'a jamais laissé la chance de posséder un arbre à lui voyagera dans l'errance et dans la déshérence en semant malgré tout des plantes souterraines. Le colonel a foutu un coup de pied sur la gueule de Justin en proclamant qu'en tant que grand initié, il comprenait le sens des paroles de la chanson mais qu'il souhaitait entendre l'interprétation qu'en faisait le suspect. Justin a répondu que les paroles étaient en effet très claires et n'appelaient à aucun rite d'initiation pour être assimilées. Le chien ? Personne et nous tous. Le petit – ton père, c'était le petit –, il a les yeux d'un chien perdu, et son maître, c'est la liberté. La vie, heureusement, fait que parfois les gens ne donnent pas naissance à leur triste ressemblance. Et l'homme sans territoire sème parfois le grain de terres à venir pour qui nourrit en lui le rêve d'habiter. Le colonel lui a foutu un second coup de pied sur la gueule, et le chef de section a ramené la barque. Le colonel et ton grand-père sont rentrés chez eux, laissant Justin la bouche en sang et les pieds coulés dans le béton de la cuvette. Le chef de section est parti tout penaud, les yeux baissés. Sa concubine l'a pris dans ses bras pour le réconcilier avec lui-même en lui avouant que pour l'aimer encore longtemps elle ne lui demandait pas d'être brave, qualité qui lui échappait, mais seulement d'être un homme bien. Les enfants se sont mis à plusieurs pour descendre Justin de sa barque. Ils ont cassé le béton avec des marteaux. Plus tard, les adultes sont venus avec des baumes et des infusions pour ramener le sang et le mouvement dans les pieds de Justin. La semaine suivante, le véhicule militaire qui déposait une visiteuse à la résidence du colonel s'est arrêté devant la maisonnette du chef de section. Un soldat est descendu du véhicule et lui a remis une enveloppe. Elle contenait sa lettre de révocation. Il garderait son poste en attendant la nomination de son successeur et pouvait donc se considérer comme un homme en sursis. Durant cet intervalle, il obéirait à tout ordre ou requête émanant du colonel à la retraite Pierre André Pierre. Il devait présenter un rapport sur les agissements suspects des habitants du village et avoir à l'œil spécialement le dénommé Justin, selon toute vraisemblance un agitateur délégué par un regroupement d'apatrides avec pour mission de corrompre la jeunesse.

Informé de cet incident, l'enquêteur a d'abord soupçonné le chef de section. Ce dernier ne bafouillait plus. Il avait reçu sa lettre de révocation mais sauvé sa relation avec sa concubine, et il disposait maintenant de plus de temps pour leurs concours de contes, de maximes et de devinettes. Le matin, le premier levé posait une énigme à laquelle l'autre devait apporter la réponse le soir. Faute d'avoir trouvé la bonne réponse, le perdant se devait de raconter une histoire au gagnant. Le jour où le petit monsieur de la capitale avait soumis le chef de section à un dur interrogatoire, l'énigme posée par sa concubine au réveil était "Petit cercueil sous la terre rouge". Sans honte, après avoir répondu comme il pouvait à toutes les questions du petit monsieur de la capitale, le vieux fonctionnaire a dit qu'il cherchait la réponse à une question essentielle, car "vous m'avez pris beaucoup de temps et je n'ai pas eu la possibilité de composer un conte pour ce soir. A quoi renvoie l'image d'un petit cercueil caché sous la terre rouge ?" L'enquêteur appréciait les énigmes, et si sa logique ne l'aidait en rien dans sa recherche d'un assassin, elle n'en demeurait pas moins efficace dans les autres domaines. "Ce doit être le pistachier. La pistache, plus exactement. Oui, ce doit être ça." Le chef de section en conclut que les gens de la capitale n'étaient finalement pas si bêtes que ça, et le petit monsieur de la capitale raya le vieux fonctionnaire de sa liste de suspects. L'homme n'avait point perdu au change en choisissant ses jeux contre sa fonction. De toutes les façons, à moins de faire venir un étranger, le ministère attendrait longtemps avant de lui trouver un remplaçant, personne au village ne s'étant porté volontaire pour lui succéder dans ses fonctions. Justin avait même rédigé une nouvelle loi recommandant l'élimination du mot "chef", sauf en amour et dans les relations affectives en général, pour dire à l'autre : je te préfère à moi. En panne de coupable, le petit monsieur de la capitale s'est concentré sur Justin. Humiliation, menace de mort avec début d'exécution, voilà des motifs qui d'ordinaire conduisent tout droit à la vengeance. A l'heure où le chef de section, ayant résolu l'énigme posée par sa concubine, s'endormait, apaisé, l'enquêteur se rendit chez Justin. Les pieds de Justin ne lui obéissaient plus et son visage gardait la marque des coups. Mais il avait gardé son sourire avenant. Leur conversation dura longtemps. Avant de partir, l'enquêteur sortit son carnet de sa poche et raya d'un trait de crayon le nom de Justin. En une journée, il avait perdu deux coupables potentiels. En honnête fonctionnaire et serviteur de l'ordre public, il se devait de reconnaître qu'un homme qui ne vivait pas dans le présent, soit qu'il fût trop bête, soit trop intelligent, n'entendait rien à la vengeance. C'est vrai que notre Justin, il a décidé depuis longtemps que le présent est comme il est et finalement sans importance. C'est demain qu'il regarde. Il cache ses peines et garde ses joies en réserve. Il n'en a qu'une en réalité.

— De quoi parlions-nous ?

Quand il te posera sa question pour te souhaiter la bienvenue, les pieds au chaud sous une laine à cause des problèmes de circulation causés par leur mise en béton, si tu lui réponds : De l'avenir, il sera le plus heureux des hommes.

Comment dit-on ? C'est la dernière ligne droite. En réalité, elle n'est pas droite, mais nous arriverons bientôt. Tu veux de la musique ? Qu'est-ce que tu aimes ? Moi, j'aime tout. Mais c'est rarement la musique que j'aime que j'écoute. Les clients, ils réclament du dépaysement. "Du chaud." Je les conduis alors à des restaurants dansants ou dans des boîtes, et à peine ont-ils pénétré dans le lieu qu'ils se mettent à bouger leurs corps dans tous les sens. C'est spectacle gratuit. Ça se tortille. Bondit. Rebondit. Les corps se cassent et se remettent en place comme dans cette série de films d'horreur dont les héros sont des poupées tueuses. On a beau leur briser les os et leur arracher les membres, les désarticuler en les tordant dans tous les sens, tout en elles retourne à sa forme initiale. Mes clients, quand ils dansent, c'est des poupées tueuses. Ça frappe ses voisins de piste sans s'en rendre compte. Ça "s'exprime", et c'est l'essentiel. Peu importe qu'il existe entre la musique et leurs mouvements la distance qui sépare les pôles. Bon, ils veulent de la musique et les lieux où "ça se passe", moi je leur en donne et les y conduis… Comme disait Manigat, le vieux coiffeur de la rue Montalais, l'ouvrier travaille… Je t'ai déjà parlé de Manigat. Je crois bien t'avoir tout dit sur moi, ou presque. Remarque, ce n'est pas qu'il y ait grand-chose à dire. Ce n'est pas non plus que j'aime me confier. Et les clients, ils ne viennent pas recueillir mes confidences. Au contraire, ils donnent parfois dans l'étalement et me prennent pour leur confesseur. A l'opposé des maussades qui se plaignent de tout et pleurnichent en roulant vers un hôtel de plage comme si je les conduisais de force vers le mur des lamentations, il en passe des joviaux qui ont payé pour la gaieté et ne perdent jamais leur sourire. A les écouter, à chaque seconde de leur séjour, ils n'ont connu que du bonheur. Tout leur est beau. La plus banale des criques ouvre sur le septième ciel. Ils ont payé : donc tout est bien. En écoutant les nouvelles, ils considèrent les chefs de gangs comme des bons sauvages. Ils prennent les taudis pour une forme esthétique, ils ont trouvé ici un paradis sur mer. C'est comme les gens qui au resto mangent jusqu'au dernier morceau, que la bouffe soit bonne ou mauvaise. C'est pour eux une question d'honneur ou une forme de pragmatisme : ils consomment jusqu'à hauteur de leurs dépenses. J'ai servi de guide à un restaurateur pendant une semaine. On s'était mis d'accord sur un montant pour mes services. Sept jours durant, il a voulu renégocier à la baisse. Et il m'a raconté comment il était dur en affaires, que, par principe, en affaires il renégociait toujours à la baisse. Comment il trichait aussi : l'art de récupérer les restes, d'embaucher des travailleurs au noir, d'acheter en gros des ingrédients de mauvaise qualité, de couillonner le fisc. Radin comme on n'a pas le droit. Mais quand il partait en vacances, il prévoyait une somme large. Et il la dépensait. Il voulait revoir mes prestations à la baisse. Pour lui, tout employé est toujours trop bien payé, mais il distribuait l'argent par les fenêtres de ma voiture et de sa chambre d'hôtel. Je ne pouvais lui cacher mon étonnement. Il m'a expliqué que cela ne faisait pas mal de dépenser de l'argent qu'on avait prévu de dépenser. A la fin il lui restait encore beaucoup de cash. Pour s'en débarrasser, il a acheté des paniers de fruits que nous avons laissés sur le bord de la route. Il lui avait suffi de dépenser la somme qu'il avait prévue pour passer de très bonnes vacances. Il est reparti, satisfait, exploiter ses employés et vendre de la merde à ses clients.

A la vérité, je préfère les joviaux à ceux qui puent la peur. Les peureux, avant de débarquer dans "l'île maudite", ils ont dû consulter quelques catalogues de l'horreur, recueillir un maximum de statistiques et d'histoires extraordinaires, visiter leurs médecins et dresser une liste des maladies tropicales avec la description de leurs premiers symptômes. Ils arrivent avec des batteries de médicaments, se badigeonnent la peau de mille et une pommades. Ils sont pris de panique dès que nous traversons les quartiers populaires. On dirait qu'ils s'attendaient à un pays inhabité, à une terre vierge qui s'étalerait à leur convenance. Quand ils descendent de voiture pour regagner leur chambre d'hôtel ou entrer dans un magasin, ils avancent une main devant, une main derrière, l'une comme un cache-sexe ou la paume en avant pour signifier : Ne vous approchez pas de moi ; l'autre serrée sur le porte-monnaie ou vérifiant sans cesse le portefeuille de peur qu'un esprit maléfique n'y soit venu glisser une patte invisible pour leur faucher quelques billets. Ils ont préparé leur réponse unique à toute parole venant d'un inconnu. Ceux-là, ils ne perdent pas leur temps à apprendre quelques mots de la langue locale. Ils répondent *No* à tout. C'est plus simple. Bonjour. *No.* Puis-je vous aider ? *No.* Vous avez laissé tomber quelque chose. *No.* Les mendiants les repèrent facilement et les évitent. Les professionnels qui ont acquis de l'expérience mettent en garde les débutants : Celui-là, c'est un No-No, pas la peine de t'approcher de lui. Les peureux, faut se demander pourquoi ils se donnent la peine de bouger puisque partout où ils vont ils s'attendent à retrouver ce qu'ils ont laissé chez eux. La même bouffe. Les mêmes couleurs. Ils s'étonnent, se fâchent de ce qu'ici on ne mange pas la viande de porc comme chez eux, de ce que les gens ne portent pas les mêmes prénoms que chez eux, de ce que les néons ne soient pas aussi puissants que chez eux. Ils ne cultivent pas le doute et souhaiteraient que le monde soit la copie conforme de leur propre univers. Ton père, on pouvait se tromper et le prendre pour un No-No. Il fuyait les autres et vivait de silence. Pourtant, un jour il a cassé la corde, et il s'en est allé chercher la dissemblance. Ton père, il possédait tout. A la capitale, un beau quartier. Une résidence dans les hauteurs. Un chauffeur. Une chambre suffisamment grande pour contenir cette montagne de jouets idiots et meurtriers dont lui avait fait don son parrain. Des tonnes de céréales et de vitamines. Un pédiatre. Un dentiste. Et tout ce qu'il faut pour une croissance équilibrée. Deux familles nombreuses, enviables et enviées. Avec, côté maternel, beaucoup de fêtes d'anniversaire, aujourd'hui une tatie, demain un cousin, après-demain le cousin d'un cousin. Côté paternel, de l'affection et de l'argent de poche pour corriger la radinerie et la froideur du père. Un avenir tout fait. Des actions ici et à l'étranger. Des biens meubles et immobiliers dont il hériterait. Des biens meubles et immobiliers déjà à son nom pour des raisons de sécurité. Une mère aimante et un père au savoir-faire redoutable. Les meilleurs maîtres dans la meilleure école. Dans le vieux bourg d'Anse-à-Fôleur, une résidence secondaire. Il avait tout fait, mais dans le fond, il n'était de nulle part. Il n'avait pas su développer cette culture qu'a le riche d'habiter son confort. Quand il est parti, il n'a rien emmené avec lui. Peut-être un peu d'Anse-à-Fôleur. Je dis cela à cause de ton prénom. Les Anaïse, on ne les voit pas courir dans les villas situées en haut du carrefour dit des Trois-Bébés. Les Anaïse, ça fait campagne, danse folklorique, villages oubliés et tendresse paysanne. C'était le prénom de la mère de Solène. Je ne l'ai pas connue. On dit qu'elle était encore plus jolie que Solène. Plus sauvage. Plus en elle-même. Tu veux savoir comment elle est morte ? Pour célébrer leur prise de possession des belles jumelles, ton grand-père et son ami le colonel avaient invité des amis pour une partie de chasse. Officiellement, ils visaient des canards sauvages et des ramiers. Ils avaient recruté des pêcheurs du village pour leur servir de guides. Partie de chasse, mon œil. Ce n'était pas tant les ramiers et les canards sauvages qui les intéressaient. Ton grand-père avait eu vent de la légende. Des flibustiers auraient autrefois caché une jarre dans la région. Ils cherchaient la jarre. Ils avaient fait venir des employés de commerce et des cadets de l'académie qui n'étaient pas plus chasseurs que toi et moi. Pour donner le change, ils tiraient un coup de temps en temps. Les employés de commerce et les petits soldats creusaient, tiraient, tiraient, creusaient. Ton père, il était tout petit, mais ils l'avaient pris avec eux. Son parrain voulait l'initier au maniement de la carabine. Je ne sais pas ce qu'il a vu, ce qu'il a fait, qui a tiré. Ton père, il n'en a jamais parlé à qui que ce soit. Anaïse, elle s'est pris une balle. Elle était partie, comme elle le faisait souvent, déambuler dans les bois, rêver peut-être. Voyant qu'elle ne revenait pas, les gens du village sont allés à sa recherche. Ils ont trouvé une morte, un reste de corps, une moitié de visage. Ils ont compris qu'elle avait été blessée par un chasseur. Peut-être la bande ne s'était pas rendu compte qu'ils avaient touché un humain. Peut-être avaient-ils choisi de la laisser là. Ton grand-père et son ami le colonel n'ont jamais donné d'autres parties de chasse. Ils n'ont jamais reparlé de la jarre jusqu'au jour où ils ont voulu noyer Justin après lui avoir coulé les pieds dans le béton de la cuvette. Mais ton grand-père n'abandonnait jamais. Toutes ces années, la jarre a dû l'obséder. C'est sans doute son seul échec. Un double échec : la jarre qu'il n'a jamais trouvée, et ton père qui, tout en ne disant jamais rien, n'avait rien d'un No-No. Ton père, il avait à peu près le même âge que Solène. Lui ne parlait pas. Elle parlait à tout le monde. Lui avait les yeux tristes et la tête baissée. Elle riait tout le temps et ne baissait jamais les yeux. Lui refusait son héritage. Elle a pris la succession de sa mère et s'est mise elle aussi à marcher dans les bois. Marcher, c'était sa façon à elle de pleurer. Personne ne sait quand ni comment cela a commencé entre eux. Quand avaient-ils signé leur pacte ? Etait-ce une entente tacite qui n'avait pas eu besoin du langage des mots ? Une conclusion à laquelle ils étaient arrivés ensemble en se serrant l'un contre l'autre ? Mais, cette année-là, ton père a jeté ses armes dans la mer, et la nuit de l'incendie il a suivi Solène jusqu'au bois où le cadavre d'Anaïse avait été retrouvé. Et ils ont fait l'amour. C'était ça, la vengeance de Solène. Abandonne tes armes, et nous ferons l'amour. Peut-être les légalistes, vendeurs de vieilles morales, jugeront-ils que le procédé s'apparente au chantage ! Mais, au diable les moralistes. Cette nuit-là, ils ont fait l'amour. Et cette nuit d'amour a éloigné ton père à jamais de son monde de vrais et de faux chasseurs, de vrais et de faux bourgeois, de nouveaux riches, d'anciens riches, de mensonges, de culs-serrés, de tireurs d'élite et de mauvais tireurs, de chiens savants et de faux savoirs, d'escroquerie au mariage et de mariages d'affaire. Ton père, au propre comme au figuré, il est allé voir ailleurs. Tout ce qu'il a emmené avec lui, c'est ce prénom qu'il t'a donné. Et qui fait que d'où que tu viennes, d'où que tu sois, tu es nous. Quant à la mort de ton grand-père et de son ami le colonel, si tu y penses encore, si ton père avait voulu les tuer, il n'aurait pas jeté son fusil de chasse à la mer. Son parrain lui avait enseigné l'art du tir. C'est dans le rapport du petit monsieur de la capitale, moins la nuit d'amour qui n'eut pas de témoins. On ne peut que l'imaginer. Le lendemain, ton père avait appris à dire bonjour, à parler de la pêche avec les pêcheurs, à pratiquer l'art de la route et de la rencontre.

Nous y sommes presque. A gauche, c'est le village. A droite, c'est la statue de grande sainte Anne. Des pèlerins s'y rendent et implorent la vieille sainte de leur venir en aide. Ici, c'est la coutume d'appeler les vierges, les madones, les saints, les grands dieux et les petits dieux, les lutins et les séraphins au secours des humains. Sainte Anne, c'est leur préférée. Ils la prennent pour une vieille parente. Ils disent grande pour grand-mère, comme si la vieille, elle était l'aïeule de tous les miséreux, la bonne marraine de tous les pauvres. Pourtant depuis le temps que ça dure, si les pèlerinages et les appels à l'aide servaient à quelque chose, cela se saurait, et les riches ils s'en seraient emparés depuis longtemps. Ton grand-père, il aurait installé son commerce au pied de la statue. En bon marchand de promesses, c'est un peu ce qu'il fait avec les tours qu'il organise pour les chercheurs de ville sainte et d'eau de jouvence. Ceux qui ont les moyens de payer, c'est pas moi qui irai les plaindre. Et puis, eux, c'est en avion ou dans des cars climatisés qu'ils partent à l'étranger faire leur course aux miracles. Tandis que ceux qui s'en vont voir la vieille, c'est dans des vieux camions peuplés de chèvres et de volailles qu'ils traversent les passes d'eau, affrontent la poussière. Quand ils arrivent au pied de la sainte, ils ont si mauvaise mine que si elle les aide pas, faut croire qu'elle n'a aucun pouvoir. Ici, les riches ne laissent rien aux pauvres. Rien qui vaille, je veux dire. Pas même de belles statues pour pleurer leur misère. Mais des vierges sales et amochées qui ont besoin d'un coup de pinceau pour se faire une beauté et d'un génie de la maçonnerie pour les remettre sur leur socle. On a les grands-mères qu'on peut. Sainte Anne, c'est la grand-mère des pauvres. Faute de mieux ou par besoin de ressemblance, à cause de son air fatigué, les gens se sont mis à l'aimer, à lui trouver d'autres vertus que de bercer leurs illusions. On avait suggéré à mon oncle d'aller la visiter. Quelques offrandes suffiraient peut-être à lui rendre la vue. Il n'y croyait pas. La vue, il l'avait perdue et ne se débrouillait pas mal sans elle. J'y suis allé, sans le lui dire. Un peu pour voir comment ça se passe. J'ai fait un vœu, sans trop y croire. Je n'ai pas dû mettre la conviction qu'il faut dans mes supplications. Mon oncle, il est aussi aveugle qu'avant et à deux doigts de la mort. A la vérité, ceux qui mettaient toute leur confiance dans le pouvoir de grande sainte Anne, ils n'ont pas eu droit à grand-chose non plus. Ceux qui avaient raté leurs examens ou leurs amours. Celles qui voulaient un enfant ou qui ne voulaient plus d'enfants parce que leur ventre il est mauvais et ne porte pas de fruits, ou parce qu'il est trop généreux et n'arrête pas de donner. Celles qui avaient investi leurs économies dans un commerce de vêtements usagés ou dans un bazar qui a cessé d'attirer les clients. Ceux qui en ont marre de travailler la terre pour rien, parce que c'est tout ce qu'ils savent faire, et qui voudraient bien apprendre à faire autre chose. Tuer. Conduire une voiture. Braquer une banque. Peindre. Voler. Faire le guide pour jeunes filles en mal d'identité. N'importe quoi. Autre chose en tout cas que de travailler cette terre qui ne sert plus à rien. Celles qui espèrent depuis toujours un prince charmant, pas nécessaire qu'il soit beau, pas même nécessaire qu'il soit vraiment prince ni charmant, juste honnête, juste un père pour les enfants, juste un homme comme les autres qui ne sait pas que baiser, hurler, taper, s'en aller, revenir, baiser, hurler, taper, s'en aller. Un homme. Il pourrait même avoir des dents pourries, les pieds qui sentent mauvais, ronfler, se tenir mal, être sans qualités et sans idéal. Il suffirait qu'il sache être là quand il faut qu'il soit là. Oui, j'en ai vu des femmes et des hommes, des infirmes et des impuissants qui imploraient grande sainte Anne. Grande, grand-mère, donne-moi une vie de rien du tout, une petite vie tout comme les autres, toute simple, banale, fade, sans éclats ni complication, dessine dans ma main une petite ligne de chance copiée sur la moyenne, toute droite, sans cassure. Une ligne à moi, ni spéciale ni exemplaire, sans déviation et sans surprise. Un cinq sur dix, ni plus ni moins, juste de quoi passer la classe. J'en ai vu qui arrivaient les mains pleines d'offrandes. Mais après l'extase, ils repartaient les mains vides, les yeux tristes, vers leur vie d'avant. De nos jours les choses vont si mal, mêmes les illusions ne sont plus ce qu'elles étaient. Et c'est plus par coutume que par conviction que les gens en appellent encore aux dieux. Tu connais le dicton : L'habitude, c'est comme un vice. Alors grande sainte Anne, grande Brigitte, Erzulie Fréda, Erzulie Dantor, Ogoun Ferraille, Ogoun Badagri, saint Jacques le Majeur, saint Charles de Boromé, Notre-Dame du Mont-Carmel, Notre-Dame de ci, Notre-Dame de ça, tous les dieux et les bonnes marraines, c'est jamais que la routine des mendiants de miracles. A moins de faire comme ta grand-mère. Se retirer de la vraie vie pour habiter les illusions. Ta grand-mère, ce soir-là, elle a prié la sainte, et elle a obtenu ce qu'elle voulait. Le retrait de la vraie vie. Elle était fatiguée de trouver des motifs de renvoi aux domestiques. Elle était fatiguée de les choisir de plus en plus laides. Elle était fatiguée de jouer à l'idiote tout en épiant les râles. La beauté et la laideur n'y faisaient rien, c'est l'odeur qui plaisait à ton grand-père. La première fois qu'il avait ramené des morpions dans la maison, elle a fait semblant de le croire quand il lui a juré qu'il ne l'avait pas trompée. Chérie, j'ai percé le mystère : c'est la bonne. Elle a emprunté tes sous-vêtements. Pour jouer à la dame. Tu sais comment elles sont ! Prêtes à tout pour plaire à leurs hommes. Tu as raison, chéri. Le couple uni a renvoyé la bonne. Ta grand-mère lui a donné une prime, contre l'avis de son époux, qui lui reprochait de récompenser ainsi le vice. Cela a continué. Ton grand-père, c'était un maître. Il n'avait pas son pareil pour inventer des histoires. Mais elle savait. Les arnaques. Les coucheries. La belle Hélène, elle était fatiguée de devoir écouter les doléances de ses parents à elle, les doléances de la famille de ton grand-père, de tous ceux qu'il avait trompés, appauvris, humiliés. Elle était fatiguée de se sentir vieillir. Ce n'était pas encore l'époque où les bourgeoises partent à l'étranger s'acheter des seins tout neufs. Aujourd'hui, dans le monde de tes grands-parents, on voit des femmes dont le visage accuse la cinquantaine. Elles ont la peau du cou plissée comme un dindon, des jambes qui ont beaucoup marché et une poitrine bombée qui jure avec le reste. Elles ont des seins très autonomes qui se sont acheté une jeunesse. C'est une mode qui vient de chez toi. Ici, côté mode, c'est facile pour les riches. Pas besoin d'inventer. Ils n'ont qu'à suivre les modes qui viennent d'ailleurs. Ta grand-mère, elle ne connaissait pas les ressources de la technologie moderne. Elle restait bloquée dans son adolescence. Elle ne voulait ni affronter la réalité, ni vieillir, ni rien des choses sales et vivantes qui alimentent l'existence. Elle était fatiguée de voir grandir dans le silence, sans projets et sans savoir-faire, ce fils qu'elle n'arrivait pas à aimer, parce que le réel est vilain et il est plus facile d'aimer les hommes et les enfants qui n'existent que dans le rêve. Elle était fatiguée de cette maison de vacances, la seule grosse dépense de loisirs à laquelle son époux avait consenti. Elle était fatiguée de sentir le désir du colonel qui ne ressemblait pas aux héros de ses romans. Trop noir. Trop brutal. Et silencieux, avec ça. Elle pouvait se payer ce luxe : sortir de la vraie vie. Se réfugier dans ses romances. Habiter l'illusion, fermer ses yeux au monde, c'est l'avantage de ceux qui n'ont pas à gagner leur pain. La sainte ou sa folie a exaucé ses vœux. Elle ignorait tout du réel. Elle a raconté au petit monsieur de la capitale qu'un bel homme était venu la chercher, ce soir-là. Il avait les cheveux noirs. Non, châtains. Il était blanc et mince. Blond. Non, brun. Ils s'étaient promenés sur la plage en se tenant la main. Ils avaient juste échangé un baiser. Timide. Il avait compris qu'elle ne souhaitait pas aller plus loin dans l'expression de la tendresse. Ces choses-là ont besoin de temps. Ils devaient attendre qu'elle soit prête. De mieux se connaître. Aimait-il les chevaux ? Oui, elle aussi elle aimait beaucoup les chevaux. Aimait-elle voyager ? Oui, elle passait sa vie à rêver de voyages. Lui aussi aimait beaucoup voyager. Alors ils partiraient ensemble... Le petit monsieur de la capitale avait vite réalisé qu'il ne s'agissait pas d'un homme, mais de plusieurs, et que tous portaient des noms étranges, avec des particules, des costumes datant d'une autre époque, et qu'aucun d'entre eux ne s'était matérialisé pour aider la belle Hélène à incendier la maison de vacances.

Son seul retour à la réalité : elle avait sincèrement pleuré la perte des livres qu'elle avait apportés avec elle. Elle n'aurait pas brûlé ses chevaliers blancs et ses robes de taffetas. Même pour se débarrasser de son mari et de la concupiscence muette de son ami le colonel, elle n'aurait pas consenti à perdre tous ces nobles qui lui tenaient la main, vantaient sa beauté, lui donnaient le statut d'éternelle fiancée. Le petit monsieur de la capitale avait désappris à juger. Mais comment s'empêcher de la trouver à la fois ridicule et sublime, prisonnière de ses préjugés et admirablement folle. Il n'a pas écrit cela dans son rapport. Seulement qu'elle était incapable de tuer. Ce n'était pas à lui de décider de l'avenir de cette folie douce. Le seul mal qu'elle risquait de faire, c'était d'entraîner des jeunes filles dans ses amours imaginaires. Cela les détournerait un temps des soucis et des déceptions que provoqueraient les basses amours qui alimenteraient plus tard leur quotidien. Jusqu'à ce qu'une vraie passion, une rencontre de hasard les rappelle soudain à l'ordre du réel. Et, toutes choses étant égales, dans les quartiers pauvres, il a toujours manqué de livres. Une brocante, en attendant mieux, ça ferait venir de la lecture.

Nous avions tous des raisons de souhaiter leur mort. Ton grand-père et le colonel avaient découvert la supercherie. Toutes ces toiles que j'avais peintes et que mon oncle avait signées. De sorte que les toiles étaient à la fois des faux et des authentiques. Les gens, ils voulaient du Jacob, et nous leur donnions du Jacob. Au village, ils s'en foutent. Personne ne réclame de droits d'auteur sur quoi que ce soit. La vie n'est jamais rien qu'un ouvrage collectif. Mais ton grand-père et le colonel, ton grand-père en particulier, ils pouvaient révéler la vérité à ces messieurs dames de la capitale et ruiner notre petit commerce. L'argent, on en garde ce qu'il nous faut, et le reste, on le partage. La pêche, c'est pas un métier sûr. La mer, on a beau l'aimer, elle n'en fait qu'à sa tête. Alors, le village, on l'aide comme on peut avec nos petits profits. Ton grand-père et le colonel, ils ne faisaient pas partie du paysage. C'est pour cela qu'ils sont morts. Mais je ne les ai pas tués. A l'époque mon oncle pouvait encore marcher et il avait les bras puissants, mais tu ne l'imagines quand même pas tâtonnant dans le noir pour aller mettre le feu aux Belles Jumelles. Quand Solène est revenue de sa partie d'amour avec ton père, elle a suggéré à mon oncle de commencer leur œuvre. Tous les matins, quand elle l'aidait à prendre place sur son fauteuil devant la fenêtre, ils discutaient d'une toile à peindre qui témoignerait de la beauté de la vie. Qu'est-ce qu'ils y mettraient ? Des personnages et des couleurs. Des morceaux de vie simple et de travail humain. Cette nuit-là, Solène a jugé qu'il était temps de la commencer. Ils partiraient du village pour représenter le monde et la vie, et ajouteraient au fil des nuits des personnages et des situations. Il fallait mériter sa place. Ils s'amusaient comme des gamins à choisir les personnages. Ton grand-père et le colonel ne méritaient pas d'y figurer. C'était ça, la sanction. Tout ce que nous avons fait, c'est de ne pas les inclure dans le tableau. Le lendemain, comme tout le monde, nous avons constaté que les maisons avaient brûlé. J'ignore s'ils sont morts avant la première touche de bleu. Même aux pires d'entre nous, il faut supposer quelque chose de bien. Peut-être ont-ils compris qu'il y avait incompatibilité entre leur présence et le monde tel que nous voulions le représenter, et ont-ils décidé de s'en aller. Mais je ne le pense pas vraiment. Tu vois, toute cette misère autour, c'est leur œuvre, leur richesse. Et les maîtres, ils ne prennent pas comme ça sur eux de s'en aller, sur un coup de bonne volonté. Cette espèce-là, elle se chasse, à moins de finir par pourrir et crever par déliquescence comme un cycle qui arrive à terme. Peut-être ne fut-ce qu'un accident, un mégot ou une étincelle. Peut-être quelqu'un du village a-t-il pris sur lui d'effacer leur présence, sans en parler aux autres. Qui peut savoir ? Et qu'est-ce que cela peut faire ? Mensonge ou vérité, tout ce que je te dis de leur mort, ça change quoi au fond des choses ? Est-ce jamais un crime de produire du bonheur ? Solène et mon oncle m'ont mis dans le coup. La toile, cela fait vingt ans que nous y travaillons. Mais mon oncle va bientôt mourir. Il est temps de s'arrêter. Elle ne sera jamais finie, la beauté c'est continuel, et il faut lui courir après, la découvrir au jour le jour. Mais quand mon oncle sera mort, Solène et moi, nous laisserons la toile en l'état. Avec la petite part que nous aurons captée. D'autres, ailleurs, dans des villes comme celles d'où tu viens ou dans un village comme le nôtre, doivent sûrement être en train de faire pareil. Il n'y a rien d'exceptionnel à donner naissance à des choses qui préfigurent le bonheur ou veulent en fixer la beauté. Même dans les pays d'où tu viens où les biens matériels sont chose tellement courante qu'on oublie de sourire à la lumière du jour et de prendre le temps de saluer le passant. Ici, nous n'avons pas toujours l'électricité. Deux générateurs identiques alimentaient les sœurs jumelles vingt-quatre heures sur vingt-quatre. Ils ont disparu dans l'incendie. La nuit, quand il n'y avait pas de vent, on n'entendait qu'eux. Ecoute comme la nuit est belle. Ecoute. Oui, nous y sommes. On va s'arrêter chez Justin. Ensuite tu iras t'installer chez mon oncle. Combien de jours comptes-tu rester ? Tu me diras, et je te conduirai à l'aéroport. Je suppose que tu dois rentrer bientôt. On dit que dans le pays d'où tu viens, le travail, c'est comme la caserne. Que les vacances c'est comme une permission. Faut en profiter au maximum avant de rejoindre le peloton. C'est pour cela que les touristes, quand ils débarquent, ils veulent consommer le monde et satisfaire leur appétit en quelques heures. Mais toi, tu n'es pas une touriste. Au fait, je ne sais ni qui tu es ni ce que tu veux. Mais j'ai aimé faire la route avec toi. Seulement, au retour, c'est toi qui parleras.

THOMAS

Pardonne-moi. Je n'ai pas l'habitude des nuits noires. Je viens d'une ville de lumières inventées qui triche avec la nuit à coups de lampadaires, de néons et de phares. Je suis d'un monde où tout peut s'allumer la nuit. On y considère la lumière comme un agent de sécurité, et, pour dormir tranquille ou marcher dans la nuit, il est bon de savoir qu'on a toujours à sa portée une source d'éclairage. Pardonne-moi. Je n'ai vu que la noirceur de la nuit. Je n'ai pas vu que celui que tu appelles ton oncle était en train de mourir. Ta voix avait changé quand tu m'as dit : Il va mourir. Ce n'était plus ta voix de guide, de conteur ou d'aide-bonheur. Une voix d'homme. Simplement. Dans la voiture, tout le long du voyage, tu as très peu parlé de tes blessures. Comme si tu ne saignais jamais. Cela m'avait un peu agacée, cette peur de l'intime, cet effacement auquel tu t'efforces sans tout à fait le maîtriser. Après la rencontre dans le noir avec ton oncle, quand tu m'as conduite à ma chambre, ce qui est resté de tout ce que tu m'as raconté, c'est cette phrase, cette fragilité que tout le bavardage de la route avait cachée : Il va mourir. C'est cette fragilité dans ta voix qui m'a émue et qui a attiré mon attention sur sa condition. Quand il a passé ses mains sur mon visage, nous étions à égalité, aveugles l'un et l'autre. Mais j'ai senti la douceur de ses vieilles mains, et cela m'a fait penser à mon grand-père maternel qui est mort dans une chambre d'hôpital. Ma mère a été informée de son décès par un appel téléphonique. De mon lit, j'écoutais sans entendre et me doutais qu'il s'était passé quelque chose de grave. Un jour comme les autres, le téléphone n'aurait pas sonné alors que maman et moi étions déjà couchées. Les jours de vie courante, on ne dérange pas les gens à deux heures du matin. Ce n'est pas vrai que les gens meurent entourés de leurs proches. Il y a longtemps qu'on a cessé de mourir en famille. L'hôpital offre l'avantage de laisser à des étrangers la garde du mourant. Je viens d'une ville dans laquelle on a désappris depuis longtemps l'art de mourir chez soi. Et ma mère ayant souhaité m'épargner le traumatisme des funérailles, la dernière fois que j'ai vu mon grand-père, ce n'était qu'un corps entubé, officiellement en vie mais sans le moindre mouvement. Je n'ai pas pensé à lui prendre la main. C'est pourtant une belle complicité de tenir la main d'un mourant ou de la laisser courir sur son visage. Une sorte de confidence que la mort ferait à la vie. Mes morts à moi ne m'ont rien dit. Y compris mon père qui est parti avant les autres. Ma présence semble t'agresser. Dis-moi. Quel mal y a-t-il à venir chercher ce qu'ont pu être ses mots, ses rêves ! Même quand, s'il faut te croire, je ne trouverais ici que la mémoire de son silence. Même quand, pour percer le sens de ses mystères ou de son absence à lui-même, il me faudrait mieux connaître le rythme collectif des cœurs. Je sais. Tu ris de moi. Qui veux comprendre et ne comprendrai jamais rien de la vie d'ici, selon toi. Mais tu l'as dit toi-même. Il y a tant de lieux différents dans un pays ou une ville. Et deux personnes habitent-elles jamais le même lieu de la même façon ! Sourient-elles aux mêmes couleurs ! Saisit-on jamais les lois des ensembles, sauf à choisir dans le tas ! Apparemment, mon père avait choisi le voyage. Moi, je veux choisir. Non pas un lieu. Mais, comme le dit ton oncle, dans tous ces mondes qui font le monde, quel usage faire de ma présence ? A quoi vais-je donner l'adhésion de mon rire ? A quoi adresserai-je mon refus, ma colère ? A l'université – je ne suis pas étudiante en art, et je n'aime pas les tamarins ; les hommes, oui, dans certaines circonstances et ce n'est pas une affaire de volume –, un prof nous a proposé comme thème, pour une discussion : Contre quoi peut-on encore se révolter aujourd'hui ? Le mot révolte a paru excessif à bon nombre de mes camarades. Moi, je ne sais pas. Ma mère porte en elle la nostalgie du radicalisme. En regardant les nouvelles, quand passe une révolution, un changement d'importance dans un pays lointain, une ancienne lueur s'allume dans ses yeux et elle s'agite dans le salon. Ma mère est devenue très vieille à quarante ans et manifeste dans son fauteuil. Elle me reproche de ne pas avoir de cause, car elle en avait à mon âge. Pourtant, toute son œuvre de mère a consisté à m'épargner. Enfant, j'ai eu droit à toutes les libertés. Cela ne va pas aussi loin que cette famille que tu as véhiculée une fois dans ton taxi. Oui, ton histoire m'avait fait rire. Moi, je ne fus pas aussi chiante que Junior, et le chef de famille c'était maman. Il n'y avait que nous deux. Mais j'ai bénéficié de la liberté de pleurer plus que de raison pour n'importe quelle broutille, d'exprimer mon point de vue sur chaque chose. Dans la ville d'où je viens, quand j'étais une petite fille, tout était organisé pour m'éviter les "traumatismes". Ce fut cela, mon enfance : protection rapprochée contre les traumatismes. La seule liberté qui m'aura manqué, c'est la solitude d'une vraie blessure et la découverte par moi-même de choses hors de ma personne qui valent la peine. Je suis la seule cause qui reste à ma mère, et moi je n'en ai pas. Mais je pense que le problème avec les causes et les motivations, ce n'est pas de n'en avoir adopté aucune quand on avait vingt ans, c'est de les perdre à quarante. Je respecte les choix de ma mère. Elle a un peu perdu sa cause quand j'ai décidé de venir ici. Elle n'a pas protesté. Je suis sans doute restée une petite fille à ses yeux et elle a voulu m'éviter le traumatisme de sa désapprobation. J'ai quand même vu dans ses yeux la difficulté pour elle de choisir entre deux sources de chagrin. Me dire non, c'était m'étouffer. Me regarder partir, c'est me laisser m'exposer au risque de l'inconnu dont elle a si longtemps voulu me protéger. Je la remercie de m'avoir laissée choisir seule mon errance, mes fondements ou mes "traumatismes" futurs. Je me demande quelles causes j'aurai perdues quand j'aurai atteint son âge. Celles que j'aurai adoptées ? Ce sont les choses que je te dirai, sur le chemin du retour. Je commencerai sans doute par ma mère. On commence toujours par ses parents, pour passer ensuite à autre chose. J'ai peu de parents, et je n'ai pas encore décidé de cet autre chose. Entre Manigat, ton coiffeur de la rue Montalais, ton oncle, le petit monsieur de la capitale, Justin, ton législateur bénévole, personne n'a songé à te dire que la parole sert parfois à trouver les mots, à les sortir de leur cachette afin qu'ils nous aident à nous révéler à nous-mêmes ? Je n'ai pas tout entendu de ce que tu as dit. Dieu, que tu peux parler ! Le voyage en avion m'avait épuisée, et je me suis assoupie. Dans mon demi-sommeil, souvent je n'entendais que la musique des mots. Tantôt la violence des villes. Comme une course de fond que l'on voudrait courir à la vitesse d'un cent mètres. Tantôt un air froid, glacial comme le crime. Tantôt un balancement de mer. Serait-elle contagieuse, cette affection que tu appelles la maladie de la mer ?

Je n'ai pas vu non plus que la chambre dans laquelle tu m'as installée était remplie de toiles empaquetées. Je te remercie de m'avoir laissée devant la porte. Je peux aller jusqu'au bout de la nuit avec un homme tant que nous gardons les yeux ouverts, mais j'apprécie de découvrir toute seule la pièce qui abritera mon sommeil. C'est ma conception de l'intimité. J'ai eu un peu de mal à m'habituer à la lueur des bougies. Chez moi, on ne les allume plus qu'à l'occasion d'un anniversaire ou dans les fêtes et les chambres mal aérées, non pour la lueur mais de préférence pour l'arôme, afin de chasser des appartements l'odeur de renfermé ou de tabac froid. J'ai peut-être marché sur des tableaux. Je devrais dire sur tes tableaux. J'avais compris avant que tu ne me le dises que c'est toi qui les peins. Pourquoi garder un tel mystère ? Ton oncle et toi, vous devez être très doués pour faire tenir un mensonge aussi longtemps. Pourquoi ? Pour l'argent ? Les acheteurs payent le nom. Cela vous permet d'en avoir pour vous et d'en donner au village. Une sorte d'arnaque humanitaire. J'imagine que c'est aussi un jeu entre vous. Ton oncle cache son aveuglement, et toi, tu caches ton talent. Je présume, quant au talent. Je n'ai pas encore regardé ces tableaux. Et je ne suis guère une experte. Un ami de ma mère qui visite souvent la maison m'accuse de ne pas avoir appris à m'asseoir. Pour écouter ou regarder. C'est vrai que j'aime les choses qui bougent, comme les rythmes chauds. Les mots ne me suffisent pas toujours. J'ai apporté ma musique. J'avais prévu d'écouter les airs de jazz et de rock que je préfère en faisant la route, mais je n'ai pas voulu te paraître mal polie. Quand j'écoute ma musique, il faut que je bouge, que je danse sur les paroles. J'ai besoin d'un mouvement autre pour les laisser un peu séjourner dans ma tête. Je comprends le besoin de se cacher. Il est dangereux d'être pour les autres une lecture facile. Je t'ai vu qui me regardais. Laisser faire le regard des autres sur mon visage ou sur mes jambes, c'est ma façon de disparaître. Je me cache derrière mon corps. Il y a une robe courte que j'aime porter par esprit de provocation, dans les fêtes ou dans les bars. Et quand le vent la soulève, j'oublie parfois de la rabattre. Des inconnus me demandent alors qui je suis. Par qui je suis ils entendent au fond : ce que je suis, mais ils n'osent pas le formuler comme ça, de manière aussi directe. Je leur réponds : une pute de luxe. Cela marche à chaque fois. Ils se demandent si j'ai la sotte franchise de leur dire la vérité ou si je me moque d'eux. Et ils s'accordent un moment d'hésitation avant de prendre une décision. Partir. M'offrir de l'argent. Il est rare qu'ils continuent de me parler simplement, comme à une "vraie" personne après une telle réponse. Il m'arrive aussi de ne la porter que pour une seule personne, en me disant peut-être avec une once de vanité que cela lui plaira et que ce qui me cache aux autres me révélera à lui. En partie. Avec ton goût de tout interpréter, tu voudras me demander ce que je cache derrière mon corps. Quand je provoque ou quand je danse. Je ne sais pas. Sans doute ce que tu caches en jouant le guide plutôt que de signer tes toiles. L'envie et en même temps la peur de se révéler à un étranger dont la connaissance de nos enjeux intimes pourrait nous atteindre. Nous blesser. Je comprends les gens du village. Je ne parviens pas à croire à l'accident ou à la providence. Le hasard n'allume pas les feux. Peut-être, comme dans les intrigues des vieux romans policiers, avez-vous décidé d'agir ensemble, et vous avez inventé ces étranges alibis pour vous protéger mutuellement. Mais je vous comprends. Tels que tu les as décrits, mon grand-père et son ami le colonel n'avaient pas leur place dans ce paysage que je n'ai pas encore vu. Cependant aviez-vous le droit de les faire disparaître ? Je ne sais pas. Le monde tue tous les jours. Tous les jours, on regarde des gens mourir. Dans mon quartier, il y avait un SDF qui couchait dehors, devant l'entrée de l'immeuble. Nous l'entendions tousser et gémir le soir. Pendant des années, nous l'avons regardé mourir. J'ai des amies qui se précipitent dans des missions humanitaires et qui reviennent au bout de quelques mois, satisfaites d'elles-mêmes ou plus désespérées qu'avant leur départ. Lorsque je les interroge, je réalise qu'elles sont revenues parce qu'elles étaient fatiguées de regarder les gens mourir, ou parce qu'elles prenaient une halte avant de courir vers des lieux aux statistiques encore plus effrayantes. Un prof nous a mis devant ce dilemme : Un homme ou une femme est debout devant une falaise et dit à un homme ou une femme : Ta main ou je saute. Vous êtes cet homme ou cette femme à qui s'adresse la demande. Que faites-vous ? La majorité des réponses laissait le "fou" finir au bas de la falaise. Je fais encore partie de cette majorité. Les choses changent-elles lorsque le choix nous est offert entre regarder quelqu'un pousser cet homme ou cette femme au bas de la falaise et pousser l'assassin ? C'est un peu ce que vous avez fait. Cependant j'ai du mal à t'imaginer dans la gestuelle du justicier. Cela dit, je te connais à peine, et les gens ne sont pas toujours ce à quoi ils ressemblent. Je regrette de n'avoir pu faire la pause chez Justin. J'étais trop fatiguée. Et je ne sais pas ce que j'aurais répondu à la question : De quoi parlions-nous ? Avec mes amis, je parle de ce dont on parle à mon âge, dans mon monde, j'essaye d'être de mon temps. Sans savoir exactement ce que cela veut dire. Tu as parlé des maladies collectives. C'est sans doute celle dont je souffre : être de mon temps, sans savoir ce que cela veut dire. Ce que je me refuse d'explorer et ce à quoi je sacrifie. C'est vrai, pour reprendre ton expression, je n'ai touché jusqu'ici que le ciel que je voyais de ma fenêtre. Les seuls humains que je connais sont ceux avec lesquels j'ai grandi. Je cherche d'autres ciels. Pour augmenter ma part de paysages humains.

Tu prétends qu'ici c'est la coutume d'apporter le rire au mourant. Pourtant, depuis notre arrivée la nuit dernière et durant toute la journée, tu t'es enfermé avec ton oncle dans sa chambre. Je vous ai entendus très tôt ce matin. Toi, lui, et cette femme des mains de laquelle tu as pris le plateau du petit déjeuner pour me l'apporter, toi. Tu as frappé doucement à la porte. Comme si tu avais peur. Tu as plus d'assurance quand tu conduis. Tu étais tout gauche. Tes mains tremblaient un peu quand tu m'as tendu le plateau. Je n'ai pas eu l'intelligence de te demander des nouvelles de ton oncle. J'ai juste dit merci. Je l'ai vue aussi, elle. Elle a souri quand tu lui as pris le plateau. Comme si elle se moquait de toi. Affectueusement. Son sourire est beau. Pas besoin que tu me le dises. Je sais que c'est Solène. C'est vrai qu'elle est belle. J'extrapole peut-être en trouvant qu'il y a dans ses yeux quelque chose qu'on pourrait appeler de l'insolence. Les gens respectent d'ordinaire des choses en soi peu respectables qui s'inscrivent dans des traditions. Son regard et son port correspondent à l'impression que m'a laissée la description que tu m'as faite d'elle. En réalité, tu ne l'as pas décrite, seulement ses gestes. On peut voir si les gens sont libres à leur sourire. Le vieil ami de ma mère, la moitié d'un couple assez original, sans faire comme maman qui juge le passé toujours plus intéressant que le présent, affirme que d'hier à aujourd'hui, à part le prix du logement et les inventions technologiques, peu de choses ont changé. Ma génération serait non seulement plus conservatrice que la précédente parce qu'elle est portée sans savoir ce qui la porte, mais surtout parce que nos sourires et nos attitudes manquent d'autonomie. Ta Solène, elle m'a l'air d'une personne qui ne fait pas dans le convenu. Elle devait être à peine une adolescente quand elle a connu mon père. A part leur âge et le désir, qu'avaient-ils de commun ? Et quelle mémoire ont-ils gardée de leur nuit ? J'aime beaucoup l'idée d'une nuit d'amour prise comme la célébration d'une sorte d'adieu aux armes. Le plaisir et la symbolique... Cela plairait bien à mon prof qui nous laisse le loisir de lui proposer de temps en temps un thème à discuter ou un sujet de recherche. Je sais que ma mère a milité autrefois dans des mouvements pacifistes. Avec mon père, marchaient-ils ensemble dans les rues en brandissant des pancartes ? Avec mon copain, nous ne brandissons jamais de pancartes et nous ne nous racontons pas nos anciennes histoires. Nous sommes sans doute trop jeunes pour avoir des histoires à nous raconter et trop méprisants vis-à-vis du passé pour en rapporter des causes à défendre. Mais, l'amour, ce pourrait être de pouvoir partager des histoires. Toutes les histoires de l'être aimé deviendraient celles de l'aimant. Ce serait un beau chassé-croisé. Je ne suis pas jalouse. Mes copines me le reprochent. J'aimerais bien partager des histoires qui ne seraient pas tout à fait les miennes puisque je n'y jouerais pas le rôle principal, mais qui seraient aussi les miennes, puisque j'y apprendrais l'amour des gens que j'aime. Mon père avait peut-être raconté sa nuit avec Solène à ma mère. Leur part d'histoire à Solène et à lui. J'ai du mal à imaginer la scène. Je ne parviens pas à reconstituer un corps à mon père. Je ne connais pas les oiseaux d'ici, la hauteur des arbres et les couleurs de la nuit. J'ai peur de les placer dans un décor plus exotique que la réalité. Mais je parviens à reconstituer Solène en plus jeune. Je suis heureuse que cet homme que j'ai si peu connu ait eu du bonheur avant moi. Le bonheur n'est-il pas le seul mérite naturel auquel tout humain a le droit d'aspirer ? Avec mes amis, dans nos conversations, nous faisons souvent l'économie des mots abstraits. Nous ne parlons pas du "bonheur". Je reviens à ce couple qui passe souvent des soirées à discuter avec ma mère. Je ne sais pas s'ils mentent sur les conditions de leur première rencontre. Ils se seraient rencontrés dans une rue passante. L'homme, s'approchant de la femme, lui aurait dit : "Bonjour. Je sens que je vais vous aimer beaucoup. Pardon ? Pourquoi ? Vous ne me connaissez même pas. Mais si, je vous connais. Vous êtes l'amour même." Et depuis, ce n'est pas qu'ils ne se sont jamais quittés. Je ne suis même pas certaine qu'ils aient jamais partagé un toit. Mais ils n'ont jamais cessé de se retrouver, après maints voyages et même des ruptures. Peut-être, le temps d'une nuit, Solène a-t-elle été cela pour mon père. L'amour même. Crois-tu qu'elle se fâchera si j'ose lui demander de me parler de lui ? J'ai trouvé ce matin la réponse que je ferai à Justin quand il me posera sa question. De quoi parlions-nous ? Je lui répondrai que nous parlions d'un adolescent qui est parti il y a vingt ans, sans autres bagages qu'un sac pour la route et la monnaie qu'il avait dans ses poches. Un garçon qui avait jeté dans la mer un arsenal de pacotille et un vrai fusil de chasse. Mes cheveux roux, je les tiens de ma mère. Mais je crois que c'est de lui que me viennent mes longues jambes. Et cette envie que j'ai quelquefois de naître au hasard des chemins.

J'ai marché dans le village. Je n'ai pas senti de violence ni de curiosité déplacée dans les regards. Je n'ai pas beaucoup voyagé mais j'imagine qu'il est rare de se retrouver dans un lieu inconnu en étant d'une autre culture, d'une autre couleur et de se sentir accueillie comme si sa présence sur cette nouvelle terre était une chose naturelle, une chose simple allant de soi, comme le lever du jour ou le coucher du soleil. C'est moi, toute seule, qui ai fait l'effort de me rappeler que j'étais étrangère. Pour ne pas faire comme si j'avais tout compris. Avant même de prendre l'avion, je me doutais bien de l'impossibilité de mesurer l'écart entre ma ville et la tienne. Quand tu me dressais l'inventaire des bruits de la rue, je m'étonnais que les avertisseurs soient pour vous plus efficaces que les feux, et de mille autres petites choses. J'ai réalisé aussi que le pain du jour n'est pas chose gagnée pour tous. Ici, les choses dont vous devez manquer, je ne parviendrai pas même à les énumérer. Ici, dans le village, rien qu'en marchant, j'ai pu constater tout ce vide à l'intérieur des maisons. Je ne puis être qu'étrangère à cette pauvreté. Mais l'envie m'est venue d'entrer dans les maisons. Les regards m'y invitaient. J'ai reconnu celle de Justin, solitaire au bord de la grande route. J'ai frappé à sa porte, et il m'a invité à entrer. Nous nous sommes assis sous la galerie et il m'a offert de son thé de corossol. Je ne connaissais pas ce fruit. Je m'attendais à un vieil homme. L'idée qu'on se fait de la sagesse, c'est un vieux monsieur qui bouge à peine. Il n'est pas si vieux et plutôt costaud, le Socrate de ton village côtier. Il m'a expliqué qu'il avait appris à lire à l'école du chef-lieu de département et qu'il avait ensuite choisi de revenir. Cette manie d'inventer des lois, il me dit l'avoir contractée en jouant à l'instituteur avec les enfants. Les enfants d'il y a vingt ans, la moitié est partie ailleurs, et la moitié qui est restée mène sa vie de pêcheur et lui amène ses enfants. Il leur enseigne le peu qu'il sait et apprend beaucoup d'eux. Il possède aussi une barque mais il ne va pas souvent en mer. Il préfère que les autres lui rapportent leurs voyages. Ses bras forts, il les tient de la réparation des filets, sa deuxième passion. Tu vois, je ne peux pas sentir la pauvreté de l'intérieur, mais j'écoute. Il n'avait pas trente ans lorsqu'il avait été agressé par mon grand-père et son ami le colonel. Pourquoi ne s'est-il pas battu ? Et pourquoi n'avez-vous pas tous réagi, répondu à la violence par la violence ? Ou pourquoi avoir attendu pour brûler les maisons ? Justin, il m'a dit que les choses devaient se passer ainsi, que les arbres laissent bien tomber leurs feuilles, que personne au village n'avait mis le feu aux maisons. Merde, il y a vingt ans. Même moi qui ne suis pas calée en droit, j'ai entendu parler de la prescription. Et quel risque prendrait-il à se confier à moi qui partirai bientôt et ne constitue aucune menace ? Je ne suis pas venue pour venger un grand-père dont j'ignorais l'existence et la nature. Je suis venue chercher l'amitié d'un absent et lui offrir la mienne des années après sa disparition. Justin m'a révélé des choses que tu ne m'avais pas mentionnées. Que mon père ne fréquentait pas les jeunes du village simplement parce qu'il ne savait pas comment les aborder. Dans son milieu, en ville, il ne fréquentait que des mulâtres. Il ne savait pas parler la langue des jeunes du village. Il ne savait pas marcher pieds nus, comme eux, ni faire gronder les cerfs-volants. Il avait appris à nager en suivant des cours privés dans une belle piscine de la capitale où les parents attendaient la fin des cours en devisant sur l'état du monde. Mais il admirait secrètement la grâce naturelle des nageurs et nageuses du village. Il les regardait partir en bande sur la barque d'un pêcheur. Ils partaient en souriant, se jetaient à l'eau quand la barque s'était suffisamment éloignée du village, et revenaient à la nage, souriant toujours et avançant de manière nonchalante et pourtant rapide, le cœur gai, sans forcer. Il leur en voulait un peu de nager comme un enfant parle sa langue maternelle, alors que lui, il ne savait que des choses qu'il avait apprises dans des cadres régis par des lois sociales et des préjugés. Il n'osait pas non plus s'adresser aux jeunes filles, à Solène en particulier qui avait presque son âge. Il regrettait de ne pas posséder dans son vocabulaire les mots de la légèreté et de la franchise qu'il fallait pour atteindre Solène, la ralentir dans sa course le temps qu'elle lui ouvre ses bras. Il ne possédait pas les mots. Il connaissait seulement le langage du négoce et de la roublardise dont son père usait avec les femmes ; les mots surannés que sa mère collectait dans ses vieilles romances, et les mots des garçons de son milieu. Quelle ironie de ne pas posséder les mots pour dire à l'autre qu'il ou elle est pour nous l'amour même ! Justin en conclut que dans la distribution inégale des richesses qui règne sur le monde, le partage inéquitable des mots n'est pas le moindre mal. Avec mes amis, nous possédons des mots pour nommer beaucoup d'objets et gadgets. Et je n'ai pas les mots pour converser avec les enfants du village. Un groupe m'a abordé pour me demander si je souhaitais jouer avec eux. Je ne connais pas leurs jeux. Je n'ai jamais joué qu'au handball. Mais j'ai essayé de m'adapter. J'ai pensé au petit monsieur de la capitale. Je l'ai imaginé sur la plage il y a vingt ans, avec d'autres enfants. Je n'ai pas joué longtemps. Je n'ai pas l'habitude de courir sur les galets et les enfants m'ont dit que j'étais trop grande pour jouer avec eux, mais que je serais sympa d'arbitrer leur match. J'ai arbitré. Consciencieusement. C'était la première fois qu'on me confiait une telle responsabilité. Celle de la décision la plus juste pour une solution à un problème extérieur à moi. Au-delà de la banalité d'un jeu d'enfants sans conséquence sur leur avenir ni sur le mien, j'ai apprécié la confiance qu'ils plaçaient en moi. Plus tard j'ai réalisé qu'ils pouvaient se débrouiller sans moi et adoptaient sans mon aide la bonne décision. J'ai compris qu'ils voulaient me mettre à l'épreuve. Et j'ai eu soudain très peur : on dirait que tout, ici, d'une maison qui brûle à une partie de ballon prisonnier, renvoie à la question : Quel usage faut-il faire de sa présence au monde ? A quel piège suis-je venue me livrer comme la plus naïve des voyageuses ?

Ton prénom, c'est Thomas. Encore une chose qui m'étonne. Il y a beaucoup de Thomas dans mon monde et ma génération. Je ne devrais trouver rien d'étonnant dans le fait que tu partages un prénom avec quelques-uns des visages de petit garçon sur mes vieilles photos de l'école maternelle et deux ou trois étudiants qui suivent les mêmes cours que moi. Mais à fréquenter les choses, on se met dans la tête qu'elles n'appartiennent qu'à nous, n'existent que pour nous. Merci, Thomas, de m'avoir aménagé ce moment avec Solène. Je ne te dirai pas de quoi nous avons parlé. Avec mes amies, nous avons des conversations de filles, comme disent les garçons, et nous avons nos secrets, des petits mystères que nous partageons, comme qui est sortie avec un autre que son copain, qui n'apprécie pas vraiment la fellation mais y consent juste pour ne pas contrarier l'amant qui croit qu'elle y trouve son plaisir. Avec Solène, j'ai eu le sentiment de partager quelque chose d'unique. Nous avons marché dans les bois. Nous nous sommes d'abord rendues à l'emplacement où se tenaient jadis les belles jumelles. J'ai appris que depuis la disparition des maisons, des arbres et des plantes y ont poussé tout seuls. Ils donnent de l'ombre et des fleurs, et le lieu procure un sentiment d'apaisement. Nous avons ensuite longé la côte, vers l'ouest, suivant sans doute le chemin de mon père vers cet ailleurs d'où je viens. Nous nous sommes enfin arrêtées dans un petit bois. Je suppose que c'est là qu'ils ont vécu leur nuit d'amour. Il avait raison, le petit monsieur de la capitale. Ce qu'ils ont fait ne regarde qu'eux. Mais, cela, je peux te le dire, Solène n'a pas caché la révolte en elle contre le monde de mon grand-père et de son ami le colonel. Quand j'ai mentionné leurs noms, j'ai senti bouillir en elle une force qui m'a impressionnée. Il y en a trop comme ces deux-là. Je la crois. Ils ne sont pas si exceptionnels que ça. Qu'y a-t-il d'exceptionnel à tenir le monde pour sa propriété, à tout pourrir pour en tirer avantage, à ne penser l'autre qu'en termes de pertes et de profits ! C'est partout ainsi. Dans la ville d'où je viens, on oublie cela. On s'y adapte. Il y a toujours des gadgets et de la lumière. Il y a toujours de quoi se nourrir, alors on s'y fait. La différence entre ta capitale et la mienne, c'est que chez moi les pauvres sont assez riches pour oublier qu'ils sont pauvres. Mais c'est partout pareil. Je viens d'une ville qui bouffe du virtuel et dans laquelle chacun ne se laisse prendre la tête que par ses soucis personnels. Ce qui a tué mon grand-père et son ami le colonel, c'est leur manque de discrétion. En discutant avec mon prof sur les systèmes politiques, j'ai compris que la stabilité d'un système ne tient pas à ses vertus mais à sa maîtrise de la provocation. Il suffit de ne pas étaler son luxe sous le nez des autres et de leur faire croire qu'ils participent à la fête. Mais je ne suis pas venue discuter des théories politiques. Je suis venue entendre battre le cœur d'un adolescent mal né qui n'a pas eu de territoire à lui. Un adolescent qui a laissé son confort pour naître à la vie ici et partir ensuite vers un ailleurs incertain. Mon père est mort quand j'avais trois ans. Ma mère ne m'a jamais dit de quoi. Elle ne m'a jamais dit ce qu'avait été leur vie, comment ils s'étaient rencontrés, ce qui les avait unis. Ils s'aimaient beaucoup, je le sais. Je sais aussi que c'est lui qui l'avait abordée. Je devrais remercier Solène. C'est ce premier amour même qui lui a donné la force d'en connaître un second. J'en déduis qu'on ne s'invente pas seul. Pour parler ta langue et celle du petit monsieur de la capitale, on pourrait dire que le colonel Pierre André Pierre et l'homme d'affaires Robert Montès n'ont rencontré personne. Ils n'ont jamais trouvé l'harmonie fugitive qui s'établit parfois avec l'autre et nous sauve de l'indifférence. Tu as raison. Peu importe l'origine de l'incendie. Pour une fois, la vie aura tué la mort, et comme tu le dis, c'est pas plus mal. Mais aucune victoire n'est définitive. Quand vous êtes sortis de la chambre, Solène et toi, j'ai vu les larmes dans tes yeux. Ton oncle est mort. Oui, je veux bien assister à la veillée. Oui, je partirai demain, si tu veux bien me ramener. Non, je ne peux pas te dire que j'ai trouvé ce que j'étais venue chercher, mais dans la question relative à l'usage de sa présence au monde se pose aussi celle de la place de l'absent. Les absents, on les reconstitue toujours : ceux qu'on laisse partir et ceux que l'on ramène. Ce sera ça, mon père : je ramène avec moi au pays d'où je viens des bouts d'enfance triste et une belle nuit d'amour.

LA BELLE AMOUR HUMAINE

La jeune fille a décidé de porter sa robe courte. Pas pour se cacher derrière son corps. Elle n'a rien à cacher. Pas non plus parce qu'elle a quelque chose à montrer. Simplement parce qu'elle est bien dans cette robe. Pour être avec les autres, c'est mieux si on est bien. Et ce soir elle a promis d'être avec les autres. Ses copines lui diraient : Tu les connais à peine, ces gens. Elle se dit qu'elle ne connaît pas mieux ses copines. Ce qu'elles partagent n'est souvent qu'un rituel et la tendance du jour. Aujourd'hui, même si c'est la nuit, elle partage avec d'autres copains un autre rituel, une autre tendance. Elle se dit cela au moment où elle commence à entendre les chants. Il avait voulu l'attendre, mais elle a refusé, le forçant presque à aller rejoindre les autres. De la maison, pendant la journée, elle a entendu les travaux de construction de la tonnelle. De la fenêtre, elle les a vus porter les poteaux de bois, les planter dans le sable. Elle les a regardés composer un toit de feuilles de bananier, installer des chaises, des tables et des bancs. Elle n'a pas demandé à participer, à aider. Dans la voiture, parmi les anecdotes, il y en avait une qui tournait autour de touristes au grand cœur qui, prétendant aider, avaient foutu la merde. Elle ne veut pas foutre la merde. Juste être. Etre avec, autant que faire se peut. Quand Solène lui a demandé : Tu seras avec nous ? elle a répondu oui. Simplement. Elle n'a pas suivi du regard les quatre hommes emportant le corps hors de la maison. Elle ne sait pas où ils l'emmènent. Elle sait, parce que Solène le lui a dit, qu'ils feront selon les instructions du défunt. Elle est prête. Elle a rangé ses affaires. Ils ont prévu de partir tôt le lendemain. C'est lui qui l'a proposé. Il envisage la route comme une sorte d'exutoire. Pour vivre avec la perte, on prend souvent la fuite, vers rien, n'importe quoi. Il arrive aussi qu'on parte à la recherche de ce qu'on a perdu. Vain désir de combler le manque. Elle est venue chercher un père. Elle ne l'a pas trouvé. Elle n'a trouvé que des humains. Vivants. En marchant vers la tonnelle, elle entend des rires, des chants, des bruits de vie. Elle croise des couples qui vont loin de la foule, vers les bois. C'est une autre cacophonie que celle de la capitale. Une harmonie. Ici, les bruits ne sont pas en guerre les uns contre les autres. Elle ne distingue pas sa voix parmi toutes ces voix d'hommes, de femmes et d'enfants. Ce n'est pas sa voix qu'elle aurait aimé entendre, mais celle d'un adolescent qu'elle n'a pas connu et qu'elle a du mal à imaginer en père. Un adolescent qui n'a fait partie d'aucune bande. Elle imagine la solitude de cet homme-enfant et sa première vraie joie, ici même quelque part dans les bois. Une voix domine les autres. Une voix de femme. C'est la voix de Solène. Elle entend la force de la voix de Solène. Claire, sans fissures. Une voix à prendre des décisions. Cela l'agace un peu de ne pas comprendre les paroles. Souvent, lorsque l'on ne comprend pas les paroles, on se trompe sur la valeur du chant. Elle le fait avec ses copines en se jouant parfois en boucle des airs dont les propos leur auraient paru débiles dans leur langue maternelle. Les modes étrangères exercent un tel attrait, mais quand on découvre le sens de ces vieilles chansons-culte, on se sent tout bête. Pourtant elle est certaine qu'il y a dans ces mots dont le sens lui échappe quelque chose de puissant, d'intemporel. Mais non, l'intemporel n'existe pas. Il y a toujours du temps. Même quand le temps se meut dans un temps arrêté. Les guerres ne sont peut-être que la violence du choc de deux temps qui se nient. Comment faire un seul monde de ces chassés-croisés ? Elle pense au défaitisme qui gagne parfois les pacifistes. Elle pense à sa mère. Elle le voit dans le groupe sous la tonnelle. Il lui semble légitime de s'asseoir à côté de lui. Autant, plus même que ce père qu'elle est venue chercher et qu'elle n'a pas trouvé, il est son passeport, le lien qui explique sa présence. Dans la foule, elle reconnaît les quelques-uns avec lesquels elle a eu l'occasion de sympathiser : Justin, et les enfants avec lesquels elle a joué au ballon prisonnier et pour lesquels elle a fait l'arbitre. Ce n'est sans doute qu'une impression, mais elle a l'impression que les enfants lui sourient en y mettant un peu de moquerie. Elle ne pense pas à son image tandis qu'elle se baisse pour s'asseoir à sa gauche sur le banc. Il se pousse un peu pour lui faire de la place. Sa robe ne détonne pas. Elle est plus courte que la moyenne, mais nul ne porte des habits tristes. Beaucoup de blanc, mais des couleurs aussi. Au fait, comment savoir si les couleurs de la tristesse sont les mêmes partout ? Elle plie ses longues jambes et pose ses mains sur ses genoux. Si elle lui demandait quelle image elle projette, il lui dirait qu'il la voit comme elle est, simple et vivante. Agile aussi. Mais elle ne lui demande pas quelle image elle projette puisqu'elle ne pense pas à son image. Elle est assise à côté de lui et apprend à se familiariser avec l'éclairage des bougies. Il y en a beaucoup et ça fait des points de lumière qui sursautent, se meurent, revivent au contact du vent. Il y a aussi des lampes. Elle ne sait pas comment nommer ces petites choses en fer-blanc, avec un manche comme un gobelet et une mèche au sommet. Il n'y a pas ça chez elle. Elle n'en a jamais vu dans ses livres d'images quand elle était petite. Mais tout s'apprend, n'est-ce pas ? Des bobèches, il lui dit. Comment a-t-il fait pour entendre la question qu'elle n'a pas posée ? A force de fréquenter les touristes, un guide parvient sans doute à prévenir leurs besoins. Elle a envie de dire : Je ne suis pas une touriste. Ce n'est pas nécessaire. Il ne la regarde pas comme une touriste. Alors elle passe à autre chose. Des bobèches, elle répète, et qu'importe le nom. Cela fait une belle lumière qui laisse une place aux ombres. Une lumière qui respecte la nuit. Comme la lune. Des femmes passent et distribuent à boire dans des gobelets émaillés. Effusion de mélisse et de petit baume, potage et alcool de canne. Pour la deuxième fois il a devancé sa question. Elle boit de tout. Sauf le potage. Non, je n'aime pas le potage. Cette fois, c'est elle qui a devancé sa question. Ma grand-mère maternelle m'obligeait à en boire quand ma mère et moi allions passer les vacances chez elle, dans son village. A chacun son Anse-à-Fôleur. Ils pensent ça en même temps. Pour chasser la pensée commune, elle observe les enfants. Si elle lui demandait, il lui dirait qu'eux aussi parlent de la lune, jouent avec elle. Il y en a qui portent des chapeaux, trop grands pour leurs têtes. Feutres. Paille. Sombre. Clair. La nuit est pleine de chapeaux. C'est l'un des dons du défunt au village. Des enfants plus décorateurs que les autres ont mis des fleurs et des rubans aux chapeaux et courent dans la nuit. Leur course est comme une suite de fragments d'arc-en-ciel. Ils s'arrêtent, se regroupent et forment une ronde. La lumière de la lune perce le toit de la tonnelle. L'un des rares souvenirs de ses cours de littérature, c'est un poème de Baudelaire : *"La lune, qui est le caprice même..."* La poésie, ça fait lourd. Vieux, peut-être. Elle a une copine, une étudiante en journalisme, qui traite de vieux cons tous les hommes du métier qui ont une expérience humaine plus longue que la sienne ou tout homme de quarante ans qui ose la désirer. Elle n'est pas certaine de la pertinence de ces catégories : sa mère parfois la traite de vieille. Les enfants, sans être Baudelaire, ont compris quelque chose à la lune, et leurs pas sont légers. Elle entend le mot "lune" et sourit à leur ronde. La poésie de Baudelaire lui semble plus légère. Elle ne se souvient pas de ce qui vient après *le caprice même.* Mais elle s'imagine que la suite était belle. La ronde tourne. *Trois fois passera, c'est la dernière qui restera. J'ai perdu ma fille...* En chantant, les enfants balancent leurs têtes trop petites pour leurs grands chapeaux qui leur tombent presque sur les yeux. Une petite fille est prisonnière du cercle. Et la ronde tourne. *Trois fois passera...* Et la question. *Ton préféré, est-ce la lune ou le soleil ? La lune.* Bonne réponse. Et la petite fille prisonnière du cercle est libérée par la lune. Une autre la remplace et la ronde continue. *Trois fois passera... C'est la dernière qui restera...* Et, ensemble, sur leur banc, en alternant infusion de mélisse et alcool de canne, ils suivent la ronde. C'est l'une des premières choses qu'ils font ensemble. D'un commun accord. Sans mots. Ils sont surpris par ce changement d'étape. Ou de statut. Consomment la surprise en silence. Rompent l'accord. Cela les gêne un peu de se sentir proches. Au propre comme au figuré. Cette action commune et le mouvement de leurs genoux qui se sont rapprochés de manière autonome, se touchent, se séparent, se retouchent, restent là, l'un doucement attouché à l'autre, cette proximité soudaine n'était pas attendue. Ni même nécessaire. Pour fuir la complicité, elle regarde à gauche, vers les tables des joueurs. A une table, il y a un joueur de dominos qui est debout alors que les autres sont assis. Il porte un grand chapeau. Le seul chapeau qui soit vraiment laid. Il gagne, se rassoit, passe le chapeau au nouveau perdant et s'installe sur sa chaise. C'est la loi. Celui qui a perdu au jeu est condamné, le temps d'un rire, à donner dans le ridicule. C'est une sorte de service social : faire rire les autres à tour de rôle. Plus loin, sous l'arbitrage de Justin, des adultes et des enfants font revivre les morts. Un des membres du groupe, enfant ou adulte, se lève et mime un personnage. Aux autres de l'identifier. C'est la mémoire du village. Un gamin se lève et boitille. Il porte un vieux casque et il a un sifflet à la bouche. Tous ont reconnu l'ancien chef de section, et une vieille femme qui servait à boire pose son plateau et poursuit le gamin en criant que son homme ne boitait pas autant et que c'était un type bien. Oui, c'est vrai, c'était un type bien. La vieille dame abandonne la poursuite du gamin et reprend son plateau en ne cessant de répéter que son concubin était le plus bel homme du village et un type bien. Le jeu de rôle continue. Un homme, solide comme les hommes qui ont passé leur vie à affronter le vent et la violence de la mer, se lève. C'est une montagne de muscles. Voilà qu'il se déhanche. Se transforme. Il est belle, élégante, fière, marche droit, répond en souriant aux regards qui le suivent, continue son chemin vers les bois, ne demande rien à personne, sème de la beauté partout sur son passage, revient sur ses pas et lance le défi : Qui suis-je ? avant de redevenir une montagne de muscles assise à même le sol. Mais tous l'ont reconnue. C'est la mère de

Solène. Ici, on garde les morts en vie. En les portant dans son corps même. Pour éviter de suivre son regard à elle et aussi parce que celui que l'on honore était un être cher, lui regarde à droite, vers la mer. Elle soupçonne sa tristesse et regarde dans la même direction que lui. Après tout, sans que ça soit prévu, ni même nécessaire, quel mal y a-t-il à regarder dans la même direction en faisant semblant de ne pas sentir que leurs genoux se touchent. Au bout de leur regard, il y a une barque solitaire, éclairée de bobèches et de bougies. Elle réalise que c'est la demeure du défunt avant le grand voyage en mer. Ce n'est pas le départ qu'on célèbre, c'est le passage. Quel talent faut-il à un homme pour qu'au soir de ses funérailles on ne puisse penser qu'à la vie. Délibérément ou par inadvertance, son genou à lui s'appuie un peu plus contre le sien. Elle ne fuit pas le contact. De genou à genou elle perçoit le léger tremblement de son corps. Il pleure et essaye de cacher ses larmes. Elle a envie de se tourner vers lui, mais elle ne sait comment exercer l'art de la consolation. Personne ne le lui a enseigné. Il faudra inventer. Choisir un geste. Des paroles. Elle ne sait pas. Les enfants la sauvent. Deux d'entre eux la prennent par la main, la forcent à se lever et la poussent en riant au milieu de la ronde. Elle n'ose pas regarder en arrière. Elle voudrait dire : Excuse-moi. Les enfants ne lui en laissent pas le temps. Ils l'entraînent. Le cercle s'ouvre, et la voilà au centre. Prisonnière, elle tourne au milieu de la ronde. *Trois fois passera*... Le vent joue avec la robe. En tournant, elle voit qu'il la regarde. Si regarder sèche les larmes, elle consent qu'il la contemple. Il la regarde au début d'un regard furtif. Elle tourne. Et le vent joue avec la robe. *Trois fois passera*... C'est vrai que contempler parfois sèche les larmes. Il ne cache pas son regard. Alors, elle tourne, se trompe de réponse, exprès, une fois, deux fois, choisit le soleil pour tourner encore un peu. Elle est un peu soûle quand enfin elle se laisse libérer par la lune, et retourne s'asseoir à côté de lui. Il sourit. Elle reprend sa place, et leurs genoux les leurs, comme une chose qui va de soi. La tonnelle revendique ses droits. Les chants montent en volume. Les enfants, sans interrompre leurs jeux, sont plus attentifs au rituel des adultes. Solène bat le rassemblement. Tous ou presque chantent. Elle l'observe. Il remue les lèvres, pourtant aucun son ne sort de sa bouche. Elle a envie de lui demander de lui traduire les chants, mais elle hésite, espérant que sur ce point aussi la réponse devancera la question. Mais il ne dit rien. A ce moment-là, il ne pense pas à elle. Il est avec les autres. Quand les voix faiblissent, Solène se lève et relance le chant. En solo. Puis elle reprend et les autres voix suivent. Elle décide de ne plus attendre, elle aimerait bien comprendre et se tourne vers lui et commence à formuler sa demande, mais il se tourne vers elle au même moment et commence à lui demander si elle souhaite qu'il lui traduise les paroles. Les mots sortent en même temps : Veux-tu ? Peux-tu ? Les enfants sont là qui les regardent et cette fois-ci elle en est certaine, ils ont dans les yeux une complicité bienveillante et moqueuse. Il ne regarde pas les enfants ou fait semblant de ne pas voir que tout en jouant ou en donnant de la voix avec les adultes, sous leurs grands chapeaux aux rubans d'arc-en-ciel, ils les observent et les accompagnent, les devancent peut-être. Les enfants souvent comprennent tout, même les choses qui n'existent pas, ou pas encore. Il lui explique que les chants sont à la fois gais et tristes, alternent le rêve et la douleur, la mélopée et la promesse. Comme les choses de la nature qui changent d'humeur, de teinte et de ton. Regarde la mer. Ce soir, elle est calme, parce qu'elle attend un ami. Et si tu entres dans l'eau, elle s'ouvrira à toi. Demain, elle sera jalouse de ses poissons, et malheur à qui osera la défier. C'est pareil pour les chants. Tristes parce que le départ d'un ami ne laisse jamais indifférent. Gais parce que celui en l'honneur de qui l'on chante n'aimait pas la tristesse. Et elle écoute les voix qui pleurent une étrange mélopée qui semble monter du sol comme une blessure de terre. Regarde les corps cassés qui balancent lentement comme au souvenir d'anciennes traversées, comme enchaînés ensemble, comme un seul corps défait, accroupi ou agenouillé sur la plage. Ils disent : *Batala, m son zèb atè a, yo pa konnen sa ki nan kè mwen ; Batala, je suis une herbe sur le sol, ils ne savent pas ce que j'ai sur le cœur.* Ici comme ailleurs, il existe des gens comme l'homme d'affaires Robert Montès et le colonel Pierre André Pierre, qui prennent tout et ne laissent aux autres que des restes, quand il reste des restes. Et, défaits, oubliés, que peuvent les autres sinon chanter, *Batala, je suis une herbe sur le sol, ils ne savent pas ce que j'ai sur le cœur* ? Elle ne répond rien, mais elle entend. Quand les corps penchés sur le sol se redressent, grandissent soudain, quand, *Chwal mwen mare nan poto m pa priye pèsonn o, lage li pou mwen*, les voix s'affermissent, s'énervent, se battent triomphent, il traduit : *J'ai attaché mon cheval au poteau, je ne demande à personne de le libérer à ma place.* Elle entend. Et quand les voix explosent, vaillantes, piaffent, libres et indomptables : *Lè m a lage chwal mwen gen moun k a kriye*, avant même qu'il ne traduise, à la lueur des bougies et des bobèches, tandis qu'elle regarde un groupe d'hommes qui avance jusqu'à la barque, la fait glisser dans l'eau, y prend place et rame vers le large, elle a déjà compris : *Quand je libérerai mon cheval, il en est qui pleureront.* Les larmes de la chanson ne sont pas celles que versent les yeux qui accompagnent le peintre Frantz Jacob vers sa dernière demeure, la mer, qu'il n'a jamais regardée avant d'avoir été rendu à la lumière par l'aveuglement. Les larmes qui accompagnent le peintre Frantz Jacob sont larmes de tendresse. Larmes d'amitié forte que la mort ne tue pas. Les larmes de la chanson ne sont pas celles des enfants qui font des gestes d'au revoir avec leurs chapeaux aux traînées d'arc-en-ciel. Il y a larmes et larmes. Les larmes de la chanson ne sont pas celles de son voisin qui lui prend la main et lui dit : Viens, je vais te montrer quelque chose. Ce sont celles de l'homme d'affaires Robert Montès et du colonel Pierre André Pierre. De tous les Pierre André Pierre et de tous les Robert Montès de partout. Parce que les humains, ils finissent par rendre les coups. Maintenant, Solène danse. Au milieu du cercle, elle tourne sur elle-même. Elle sort du cercle, titube, se relève, va vers un homme, le prend par la main, danse avec lui, le laisse à lui-même, va vers une femme, danse avec elle, la laisse à elle-même, s'approche du couple, danse autour de lui et lui fait signe de s'en aller, danse en reculant, retrouve sa place au milieu du cercle, descend jusqu'à terre, remonte lentement, plus grande qu'avant. Et dans ce corps qui danse et qui chante, toute l'énergie de la révolte, toute la rudesse et toute l'élégance d'un corps, d'une voix, d'une vie qui réclament leur droit au plain-chant. Une voix, un corps pour dire honneur à la vie : *Malheur à l'homme qui, oubliant son devoir de merveilles, a, par vœu de puissance ou par avidité, trahi la main tendue et le rite de partage. Mais honneur à ceux qui vont et viennent et partagent avec l'autre la douceur de la halte.* Leurs mains se touchent. Il garde sa main. Ailleurs la mère de la jeune fille doit s'inquiéter un peu, une mère en mal de cause qui s'excite un moment devant la télé, dans son salon, en regardant les nouvelles du monde. Ses copines aussi avec lesquelles elle ne parlera sans doute pas de cette soirée. Pas tout de suite. Et pas de n'importe quelle façon. Ces choses lointaines, il convient d'amener le sujet. Ils vont vers la maison. Il a lâché sa main. Elle en est heureuse. Elle n'aime pas qu'on lui prenne la main. "Je ne suis pas tactile" est l'une de ses phrases préférées. Demain elle lui demandera peut-être pourquoi il n'est pas monté dans la barque, pourquoi il n'a pas accompagné son oncle jusqu'à la mer. Sur la route. Elle pense au temps qu'ils passeront sur la route, plus qu'à son retour vers sa vraie vie. Comme si la route était une fin. Solène continue de conduire le rite. *Honneur à celles et ceux... Mwen konnen yon kote nan granbwa, yon kote si w ale w a rete... Je connais un endroit... si tu y vas, tu y resteras...* Ils s'arrêtent, mais il ne traduit plus. Pas nécessaire de lui expliquer ce que les voix chantent. Ils sont debout, côte à côte. Elle écoute. Et soudain, tout s'arrête. Solène lui demande de chanter quelque chose. Sans s'excuser, parce qu'on n'a pas à s'excuser de ne pas être pareille aux autres, elle chante une chanson à elle, un vieil air de Dinah Washington. Et peu importe s'ils ne comprennent pas la langue, elle aura mis sa part de voix. Il faut mettre sa part de voix, c'est une des lois proposées par Justin, qui, de loin, une moitié du visage dans la lumière, l'autre dans l'ombre, secoue la tête en signe d'appréciation. A quel chant donner sa part de voix ? Elle se pose la question alors qu'ils reprennent la route vers la maison et que deux enfants, plus espiègles que le reste de la bande qui les suit en riant, viennent vers eux et leur offrent leurs chapeaux. Ils sont entrés dans la maison. Il a allumé les lampes. Elle attend. Il la conduit dans la chambre du défunt. La fenêtre est ouverte et donne sur la mer, mais c'est la nuit qu'elle voit. Le fauteuil est à sa place habituelle. Il lui demande de s'asseoir dans le fauteuil, devant la fenêtre, face à la mer. Il a vidé la table de chevet de son contenu, et a placé la table entre le fauteuil et la fenêtre. Puis, les mains tremblant un peu, il a posé deux lampes sur la table. Il a tiré un objet jusque-là caché sous le lit. Elle ne voit pas ses gestes ni ce qu'il porte dans ses mains. Elle regarde la lueur des lampes, une lueur à la fenêtre qui donne sur la nuit. Il la frôle, passe devant elle, et pose l'objet sur la table en l'appuyant contre le bord de la fenêtre. Puis il va se tenir derrière elle, pour regarder ce qu'elle regarde. Il commence à parler. *Mon oncle, le matin, Solène lui rapportait les nouvelles du village. Il s'asseyait ici, à sa fenêtre et les utilisait pour nourrir ses visions. Il me faisait appeler. Je prenais un carnet et des crayons et dessinais sous sa dictée...* Il parle, mais elle n'écoute pas. Il y a beaucoup de monde dans la toile, beaucoup de vert aussi, et de l'eau. Il y a une multitude de couleurs et de personnages. Dans un sous-bois un jeune couple fait l'amour. Presque des enfants. Leur nudité est belle. Le jeune homme apparaît ailleurs. Seul. A ses pieds il y a un tas de mondes possibles... Il continue de parler. Maintenant qu'il a commencé il faut qu'il en finisse... *Je dessinais sous sa dictée mais au milieu du tracé d'un cerf-volant ou à l'embouchure d'un cours d'eau, il s'énervait, me criait que c'était mauvais, faux, que l'image du colonel et de l'homme d'affaires...* Elle n'écoute toujours pas. Son regard descend une rivière, croise des fleurs géantes qui poussent de partout, dans les oreilles d'un passant, dans la paume d'un enfant, sur le toit des maisons, remonte une pente douce, se mêle à mille mains qui attrapent les fruits tombant des arbres... Elle n'entend toujours pas ses paroles, ne sent pas le poids de la main qu'il a posée sur son épaule. Il n'ose pas presser plus fort, la brusquer, la forcer à se retourner, pour qu'elle l'écoute. Il ne parle plus. Il crie. ... *venait flanquer du laid sur sa vision. Il disait vouloir peindre la belle amour humaine et que la toile serait une œuvre réaliste. Seulement la réalité refusait de se conformer.* Alors Solène et moi, on s'est dit... Alors, elle l'entend sans l'entendre, ne retient rien des mots, refuse leur sens. Elle regarde, plus fraîche que le reste de la peinture, une jeune femme qui se tient debout à l'entrée d'un village. Elle reconnaît cette jeune femme. Il y a vingt ans qu'elle la fréquente, la perd, la découvre. Elle connaît sa mère, et maintenant son père, un tout petit peu. Elle n'a pas épuisé tous les éléments du tableau. Il reste tant de choses à voir. Des hommes et des femmes de tous les âges. Des fenêtres. Des coins d'ombre. Des lunes et des soleils et *trois fois passera*... Des chemins qui se croisent. Elle sourit. Sans se retourner, elle pose sa main sur la main posée sur son épaule. C'est sa façon de dire merci. C'était donc ce qu'ils faisaient, enfermés dans la chambre : une petite place pour elle. Elle se lève et se retourne enfin. Elle est plus grande que lui. Demain elle partira. Mais ça n'interdit pas de rêver ensemble. Que dira-t-elle à sa mère, à ses copines ? Qu'il y a beaucoup de mondes dans le monde, un monde à faire de tous ces mondes ? Mais ce serait prétentieux. Elles n'ont pas besoin d'elle pour comprendre cela. Qu'au bout de son voyage elle aura rencontré la superbe, criminelle, naïve, contagieuse et si simple obsession d'un devoir de merveille ? Qu'elle y retournera un jour ? Qu'elle aime bien son guide, mais, Seigneur, ce qu'il parle ! Ils sont toujours debout, face à face. Dehors, la fête continue. Ils se regardent et tous les lieux sont bons pour jouer sa partition dans la musique du monde. Veux-tu que je ferme la fenêtre ? Non, laisse la fenêtre ouverte. Et demain, sur la route, c'est moi qui parlerai…

TABLE

Anaïse 11

Thomas 135

La belle amour humaine 155

DU MÊME AUTEUR

DEPALE, pwezi, en collaboration avec Richard Narcisse, éditions de l'Association des écrivains haïtiens, Port-au-Prince, 1979.
LES FOUS DE SAINT-ANTOINE, éditions Deschamps, Port-au-Prince, 1989.
LE LIVRE DE MARIE, éditions Mémoire, Port-au-Prince, 1993.
LA PETITE FILLE AU REGARD D'ÎLE, éditions Mémoire, Port-au-Prince, 1994.
ZANJNANDLO, éditions Mémoire, Port-au-Prince, 1994.
LES DITS DU FOU DE L'ÎLE, éditions de l'Île, 1997.
RUE DES PAS-PERDUS, Actes Sud, 1998 ; Babel n° 517.
THÉRÈSE EN MILLE MORCEAUX, Actes Sud, 2000 ; Babel n° 1127.
LES ENFANTS DES HÉROS, Actes Sud, 2002 ; Babel n° 824.
BICENTENAIRE, Actes Sud, 2004 ; Babel n° 731.
L'AMOUR AVANT QUE J'OUBLIE, Actes Sud, 2007 ; Babel n° 969.
HAÏTI (photographies de Jane Evelyn Atwood), Actes Sud, 2008.
LETTRES DE LOIN EN LOIN. UNE CORRESPONDANCE HAÏTIENNE, en collaboration avec Sophie Boutaud de La Combe, Actes Sud, 2008.
RA GAGANN, pwezi, Atelier Jeudi soir, 2008.
ÉLOGE DE LA CONTEMPLATION, Riveneuve, 2009.
YANVALOU POUR CHARLIE, Actes Sud, 2009 (prix Wepler) ; Babel n° 1069.
LA BELLE AMOUR HUMAINE, Actes Sud, 2011 (grand prix du Roman Métis, prix du Salon du Livre de Genève) ; Babel n° 1192.
OBJECTIF : L'AUTRE, André Versaille éditeur, 2012.
LE DOUX PARFUM DES TEMPS À VENIR, Actes Sud, 2013.
PARABOLE DU FAILLI, Actes Sud, 2013 (prix Carbet de la Caraïbe et du Tout-Monde) ; Babel n° 1359.
PWOMÈS, pwezi, C3 éditions, 2014.
DICTIONNAIRE DE LA RATURE, en collaboration avec Geneviève de Maupeou et Alain Sancerni, Actes Sud, 2015.
ANTHOLOGIE BILINGUE DE LA POÉSIE CRÉOLE HAÏTIENNE DE 1986 À NOS JOURS, textes rassemblés par Medhi Chalmers, Chantal Kénol, Jean-Laurent Lhérisson et Lyonel Trouillot, Actes Sud, 2015.
KANNJAWOU, Actes Sud, 2016 ; Babel n° 1562.
NE M'APPELLE PAS CAPITAINE, Actes Sud, 2018.

OUVRAGE RÉALISÉ
PAR L'ATELIER GRAPHIQUE ACTES SUD
REPRODUIT ET ACHEVÉ D'IMPRIMER
EN NOVEMBRE 2019
PAR NORMANDIE ROTO IMPRESSION S.A.S.
À LONRAI
POUR LE COMPTE DES ÉDITIONS
ACTES SUD
LE MÉJAN
PLACE NINA-BERBEROVA
13200 ARLES

DÉPÔT LÉGAL
1re ÉDITION : AOÛT 2013
N° impr. : 1905309
(Imprimé en France)